你踮起脚，仍然看不到我的好。所以我不怪你，不曾以我为骄傲

人生最大的悲剧，并不是在路上迷失或死去，而是从不曾看清过沿路风光

孤是一种迷惘，单是一种力量

一切都是最好的安排

辉姑娘／著

中信出版社 CHINACITICPRESS 北京

图书在版编目 (CIP) 数据

一切都是最好的安排 / 辉姑娘著. -- 北京 : 中信出版社, 2014.1

ISBN 978-7-5086-4326-7

I. ①—… Ⅱ. ①辉… Ⅲ. ①散文集－中国－当代 Ⅳ. ①I267

中国版本图书馆CIP数据核字(2013)第261641号

一切都是最好的安排

著　者：辉姑娘
策划推广：中信出版社（China CITIC Press）
出版发行：中信出版集团股份有限公司

　　　　　　（北京市朝阳区惠新东街甲 4 号富盛大厦 2 座 邮编 100029）

　　　　　　（CITIC Publishing Group）

承 印 者：中国电影出版社印刷厂

开 本：880mm×1230mm 1/32　　插 页：16
印 张：9　　　　　　　　　　字 数：226 千字
版 次：2014 年 1 月第 1 版　　印 次：2014 年 7 月第 11 次印刷
广告经营许可证：京朝工商广字第 8087 号
书 号：ISBN 978-7-5086-4326-7/I·464
定 价：36.00 元

目录

最好的爱情

爱是最狠的缪斯

如果不残酷，哪得顿悟？

你应对所有狠毒的爱释怀，并感恩。

在一家唱片公司的会议室，大家谈过了工作还意犹未尽，开始聊起圈内八卦。

一位同事忽然说："哎，你们知道吗？Sandy 最近离婚了。"

Sandy 是一位圈内知名的作词人，听说这件事，大家都感到愕然。还没等发表看法，老板却开口："那好呀，你们赶紧去约她的歌词！"

"为什么？""Sandy 刚离婚，哪有心情写歌词……"我们议论纷纷。

"当然有。"老板一脸神秘的笑："失恋是创作的最佳时段，她的感受，她的悲伤，全要写出来，才是最好的发泄！"

一位文学大师在家中招待宾客，有位客人诚恳讨教：如何创作出感人肺腑的作品？

大师没有正面回答，却问了他几个问题——

你谈过恋爱吗？

谈过几次？

你被甩过吗?

你甩过别人吗?

你谈过一场与全世界抗争的恋爱吗?

你爱过不该爱的人吗?

你曾为爱不顾一切甚至想到死亡吗?

……

客人被这一连串的问题问倒,只是摇头,说我只有过一段恋爱,从一而终。

大师笑道:那你是个好人,但不会是一个好的创作人。没有磨砺,哪来尖锐;没有伤口,哪知痛苦;没有错失,哪有复得,没有生死,哪懂无常?

大约恋爱是这个世界上最难得到却又最容易失去的一种幸福:说它难得,是因为一段好的恋爱,需要双方互看顺眼,步调和谐,彼此体谅,可能还要加入少许的门当户对与共同语言,创造出一点独有的亲密经历,爱情才会悄然萌芽。说它容易失去,也是因为以上种种契机,只要有一种过度失衡,爱情就变成悲情,无论是自相残杀还是好聚好散,都徒余黯然。

这种幸福脆弱得令人心惊,却又因这样的心惊而成为冰川上的花朵,人人趋之若鹜,只渴望摘到花朵那一刻的喜悦,无人去思考花朵凋零时的伤感失落。

一位画家单膝跪在自己爱的女人面前,满怀深情地说:我的爱人,你是我的灵感缪斯。他用她头发的色彩作画,她的唇印成为他的名章,她的身体留在他永恒的画笔下。

然而这一切都不是极致。当画家失去他的爱人时,本该一蹶不振的他,创作居然进入了全新的境界，大块的充满想象力的用色，阴郁而绝望的情感迸发，让外界对他的画作有了颠覆性的全新考量，潮水般的赞美纷至沓来，他一边痛苦一边收获掌声，一夜成名。

当有一位记者采访他时，问了他一个问题，如果让你用此刻的一切去换回她，你愿意吗？他的泪水汹涌而出，只说出一句：不愿意。

他说我不是不愿用名利交换她，而是因为在失去她之后，我才懂得爱情更深的含义，才懂得真正的灵感。对于一个创作者来说，这几乎高于生命。她在我心目中的地位，远超名利，却未及生命。

著名诗人歌德一生经历了无数失恋，他最为著名的一次失恋，是在得知至爱的女人绿蒂结婚的消息后，陷入了深深的痛苦中。正因为他清醒的痛苦，才创作出举世闻名的著作《少年维特之烦恼》。

英国女作家 J·K·罗琳与丈夫离婚后，带着孩子投奔乡下的亲戚，靠政府的救济金度日，穷困潦倒。她在咖啡馆中写出了《哈利·波特》，在不到五年的时间里成为人类历史上第一位靠写作跻身亿万富豪的作家。

生命就是这样，收获了对的人，安稳一世，美满白头，自是妙事一桩。若你在感情一事上颠沛流离，遇人不淑，痛不欲生，那倒也不必对自己的命运过度失望。

上帝从来不会无缘无故给你一巴掌，只是，你找到他握在另一掌心的枣子了吗？

在论坛上读过一个男生写的帖子，他说自己学生时代非常爱他的女友，只是那时一穷二白，连瓶汽水都喝不起。女友最终离他而去。他伤心欲绝，发誓要成为人上人，于是拼尽全力奋斗，终于成为一家跨国公司的高层，有车有房，年薪百万。

帖子的最后，他几乎是带着扬眉吐气的激情，铿锵有力地写下了一段话："当初我怀着满心的憧憬，只想与你一起构建一个平凡的小家，是你的放弃，才让我有了今天，谢谢你。"尽管言语间豪情万丈，然而每个人都能看出这段往事依旧让他耿耿于怀。

我很想对他说大可不必，无论那个女孩身在何方，后悔与否，他都无法否认，正是她的离去，成就了他新的开始。

这一切非她本意。但她的确用了最决绝的方式，迅速教人成长。像古时最好的刽子手，毫不迟疑，直中命脉，一刀见血，人头落地，轮回到十八年后又是一条好汉，不必撞这一世的南墙活得头破血流。这比任何心灵鸡汤和事业导师都有效而直接。

残酷吗？但如果不残酷，你哪会明白自己该走的道路。

你应对她释怀，并感恩。

爱是最狠的缪斯，每一次失去，都是命运用最残忍的方式赋予的最好的机遇。你大可在爱情焚尽的灰烬中等待涅槃，若能不怕灼烧之痛，将灰烬中的星星点点探而取之，它便是再燃起另一场生命的希望火种。

最后的最后，即使没有因此收获一篇精彩的作品，一份全新的工作，甚至哪怕一丝一毫的灵感，也没有关系，至少你会收获下一个更好的人。

谁说，他不会是你真正的缪斯？

爱一天，赚一天

我们从来都不知道明天会发生什么，所以在一切结束之前，

每一点爱都是意外之喜。

第一个故事

某个下午我约了一位朋友在咖啡厅聊天，这位朋友是商界著名人士，谈吐温文举止优雅，人长得又帅，甚至登上过几次商业杂志的封面，我常打趣他是女人幻想中的钻石王老五。他也不负众望，身边永远不缺漂亮女伴，只是至今未安定下来，也算给众多竞争者留下希望空间。

我们那天下午聊得很尽兴，咖啡就续了三杯。其间一个胖胖的女孩坐在不远处的角落里，一直目不转睛地看他。咖啡快喝完了就过来轻声地问他要不要续杯，比服务员还细心。偶尔我们聊到一些合作项目，他就招手叫女孩过来，她抱着本子迅速地记录着他的需求。

喝到第四杯咖啡时，那女孩又走过来，低声在他耳边说话。我听得隐约，大意是劝他不要喝这么多咖啡，以免晚上失眠。他随意地点点头又摆摆手，那女孩就很高兴的样子，喊着服务员把咖啡换成了柠檬水。

我看得有趣，便问："你助理？"

他点点头。

我仔细打量那胖女孩，实在是其貌不扬。

"跟了你多久了？"

他有点儿茫然，努力回忆着："四……不，五年吧？记不太清了。"

"为什么会选择她？"我有些好奇。我见过他那些漂亮女伴，每一个都相貌不俗。

"做事认真拼命啊，人也挺机灵。用习惯了，离不开。"他笑起来，"我知道你在怀疑什么。拜托，我只是用她做助理，又不是跟她过日子。"

想想也是。我抬起头看角落里的女孩，她注视他的目光依旧很专注。

朋友出去接个电话，大约是谈工作上重要的事，半晌未回。

我无聊，就招手让那女孩过来。

女孩跑过来，问我是不是有什么需要。

我不习惯被这样恭敬地对待，连忙说不用客气，又示意让她坐下，说只是想跟她聊聊天。

她也很高兴，大概枯坐了这么久也有些无聊吧。只是似乎还有些放心不下，不停地抬头看看门外。我笑，"放心，他一时回不来。"

她有些不好意思，"对不起，我习惯了。"

我逗她，"你工作真努力，要不你来我这边做事？我给你双倍薪水！"

她吓了一跳，几乎是立刻就摇头，下意识地回答："不，谢谢。"

我做出很受伤的表情，"你这回答也太快了。"

她也觉得似乎太失礼了，结巴起来，"不是……谢谢您。只是我还不想走……"

我笑起来，"没事的，我逗你玩的。可是你老板到底给你开了多少工资？让你这么死心塌地？"

她脸红了，笑着摇摇头。

我还是没忍住，又借着玩笑提出疑惑："还是他太有魅力了，你才不舍得？"

她的脸红得更厉害了，却抿着嘴没吭声，也没否认。

我更惊奇了，"你喜欢他？"

问完连自己都觉得唐突，她却很坦然地点了点头。

"嚯！"我惊讶极了，忍不住感叹一声。瞬间又觉得不该这样，连忙补救："我的意思是……"

她笑，"我明白您的意思，没关系的，我知道自己条件很差，所以也从没抱什么奢望。何况……"她顿了一下，"他也都知道。"

"他知道？"我有些发愣，这落花有情流水无意的窗户纸一旦被挑破，双方还能这么坦然？

她点头，"他看过那么多的仰慕和喜欢，我那点小心思，瞒不过他。我也没想瞒。"

我皱皱眉头，不知为什么，脑海里浮现出"利用"两个字。

她仿佛看穿我的想法，唇角露出一个苦笑，"一个愿打，一个愿挨。他看中我的面面俱到，无微不至。我也有我的私心。各取所需，没什么大不了。"

"那你到底图什么？"

她笑着摇头，"什么都不图，每天这么看着他，我就很开心。忙到死都觉得开心。"

"那他将来结婚了，你怎么办？"

她的目光有一瞬的黯然，"可能就离开了吧。在他身边的这几年也是很好的锻炼，学到了很多东西，以我的资历，出去完全可以找一份更好的工作了。"

我忍不住唏嘘，"你还年轻，浪费这么多光阴在一个不可能得到的人身上，何苦呢？为什么不早点去找自己的幸福？"

她摇头，"我早就想通了。在他身边多停留一分钟，自己就多快乐一分钟。人这一生追求的是什么？钱啊权啊爱情啊家庭啊，不都是为了'快乐'这个终极目标？对于我来说，在他身边的每一天都很快乐，这足够了。"

我看着她平庸又冷静的面孔，莫名想起古书中，那个叫钟无艳的女人。

这世上当真有太多的钟无艳深爱着齐宣王。哪怕对方心里只有貌美如花胸大无脑的夏迎春，也阻挡不了这一场飞蛾扑火九死不悔。可你不得不承认，被点燃的时刻，她们因刹那温暖而心怀喜乐。多少孤注一掷，终究未能发声；多少心甘情愿，但求默守身旁。不是不明白幸福只是瞬间，只是在努力把这些瞬间延长。想着，这也是另一种形式的永恒吧。

第二个故事

那天下午，我走进这间价值不菲的豪华私人病房时，忍不住暗暗心算了一下，在这里住一天的费用实在高得令人咋舌，而她已经住了整整三年了。

他坐在病房里，她坐在他的身边，白色的轮椅上。

我知道他家颇有些积蓄，可是这样的开销，也实在是天文数字。

我把带来的鲜花和水果放到一旁的桌上，轻声问："还不打算出院？"

他摇头，"在这里她住得会舒服些。"

"可是……"我将目光投向轮椅上眼神呆滞的女人，"她应该很难醒来了吧？"

话说得残酷，却是现实。我眼见着他的脸色变了变，却又渐渐平静下去。想来在我之前，已经有无数人对他说过这样的话，也许比我的版本还要狠上几倍也说不准。

她是他的母亲。

三年前，他陪她出门旅游，遭遇车祸，他只是左臂骨折，而她却因没有系好安全带被甩出车窗外，太阳穴正撞上一块石头，当场血流满面昏死过去。

那天他在急救室外面等，最险的时候医生也曾说救不过来了，问要不要拔呼吸机。他坚决不肯，声称有一线希望都要救。

等到母亲再醒来的时候，就是这副样子了，医生说，康复的可能性微乎其微。

我看他的表情心里难受，忍不住说他："你这是何必呢？"

他摇头："你们不懂。"

其实也未必一点儿不懂。

我知道他父亲在前几年因病去世，母亲已是他在世上唯一的亲人，心中的依赖可想而知。

他说："你们每天都夸我工作光鲜，赚钱又多，脾气也好。却不知道我每天都觉得自己戴着面具，被老板骂，被同事挤对，像个假人一样。就连回家跟老婆说几句心里话，她也只会说：'别烦我，我也很累！'"

"活着有什么意义？除了回家跟我妈聊天的时候，我才是最开心的。

她会给我做一碗我最喜欢的水果粥，听我唠叨、抱怨甚至爆粗口骂那些经理，她从来不嫌我烦，听我说，安慰我……在她身边，我永远可以放松地做我自己。"

他的眼泪哗哗地淌下来："我舍不得她啊，她多在我身边陪一天，就像偷来了一天。单单这样坐着，我就觉得自己还有个人样儿，哪怕付出再大代价我都心甘情愿。"

"至少我可以告诉自己，在这个世上，我还有个妈。"

第三个故事

朋友小敏有先天性心脏病，不能怀孕，生命也随时可能终结。

当初我们得知这个消息的时候都很难过，这么温柔可爱的一个人，可能要因此失去美好姻缘，甚至朝不保夕，实在令人惋惜。

谁知今年，我收到了她的结婚请柬。

请柬上是两人合影，她的爱人据说是做日杂小生意的，相貌平平，看着她的目光里却充满温柔。

我们去他们的婚礼。主持人宣布互换戒指后，男生在台上，拉着她的手，出人意料地说出一段话。

他说："我知道包括我爸妈在内的所有人都不赞同这场婚事，可是我爱小敏！有没有孩子无所谓。我们还有多久也无所谓。能娶她，我就特别幸福满足。"

他最后抓住小敏的手，高高举起，大声地说："我是个生意人，不懂讲什么好听的话。我就是觉得，跟小敏在一起是最不亏本的买卖！我们俩爱一天，赚一天！"

台下掌声雷动，许多女生都哭了。

塞万提斯说：爱与死有一点相同，不论帝王的高堂大殿，或牧人的茅屋草舍，它都闯进去。

人这一生，有多少爱曾经光顾，又有多少可以长久驻足。然而只有随时都提心吊胆着失去，才会倍加珍惜。这样的爱，既投入，又刺激。

为了可能到来的分别，就提前忍痛割舍？这究竟值得还是不值得？时光有多长，时光浩浩荡荡，时光也捉襟见肘。谁规定必须在私有的时光里循规蹈矩地活？何不放纵自己一次。哪怕下一秒就戛然而止，也不算枉来一世。

跟命运讨价还价未必赢得了，甚至也许不能全身而退。

可是，爱一天，赚一天。

只要真正爱过，终究不会血本无归。

你若安好，我再起跑

你若安好，固然很好。可我何必，陪你到老。

某日聊起单恋的话题。有人说起目前网络上很流行的一句话：你若安好，备胎到老——几乎完美概括"单恋"的意义。

许多肢纷纷表示对这句话的感动和赞许，更有人称这种态度才是"真爱"。想想看，对一个人从一而终到这种程度：默默守候，甘做备胎，不计名分莫问前程，实在是世间难得的深情之人。也有一些人始终沉默，甚至露出些许尴尬的表情。

第一个故事来自一个男人。

他大学时爱上一个女孩子，从此鞍前马后，整整付出了十四年。

妈妈已经为他的婚事愁白了头，但懂得儿子的心事，每次听到那首《让我欢喜让我忧》的时候就会叹气——那是他第一次遇见她的时候，她在迎新晚会上唱的歌。

他说："妈，我这辈子要么不结婚，要结婚，对象只能是她。"

可是她不爱他，在他等了十四年以后，她嫁给了另一个男人。

所有人都以为他这么爱她，即使心有不满，也终会认清事实，微笑着祝福——爱她就是接受她所有的选择嘛。

谁知他在婚礼当天极其失态，醉酒掀桌，对着新娘大吼："你不懂爱，我诅咒你们永远不幸！"让新郎新娘家人十分愤怒，找来保安将他赶出门外，从此断绝往来。

酒醒之后，有人问他是否后悔。他沉默良久，说：不后悔，如果重来，我还会那么做。

十四年的爱都成了恨，谁也无法决断感情的是非。

做一辈子的备胎固然伟大，只是当人人羡慕那辆永无后顾之忧的香车时，备胎们可曾心有不甘过？还是决定永远认命地挂于车后，呼吸着伤心的尾气？即使看似顺从，备胎们也忍不住悄悄幻想过前方的路究竟是何样风景。沉默的内里，包藏了多少委屈、不甘又渴望的怒气。

到底意难平。

第二个故事来自一个女人。

这实在是一段有些荒诞的感情。她是一名医生，她喜欢的人是一名实习生，比她整整小了十二岁。

学生很尊敬她，什么事都来问她，十分依赖和信任。

她享受这种信任之余也很心酸。因为她看得出，学生未必对她的心思一无所觉，然而他对她并无一丝男女之情。

有一次，学生观摩她的手术。开刀对象比较胖，学生无意间调侃了一句："肥得肠子上都是油！"

没想到患者不是全麻，听到了这句话。手术结束后直接向医院投诉，扣一顶"医生侮辱病人"的大帽子下来，患者又颇有些背景，咬死不放，咄咄逼人。学生当时还在实习期，如果投诉成立，不但实习证明拿不到，连在这个行业里找工作都会变得困难重重，前途或许就此毁了。

学生找到她放声大哭。她看得心疼又心酸，只好劝他不要难过，回去好好睡一觉。

学生走了，她想了想，给医院打了个电话，说那句话是她说的，不关别人的事，她愿意承担一切后果。

后果没有她想象得那么重，可也不轻。按资历，她本该在第二年就提为主任医师，可此事直接让她背了个处分。起码十年内，她与主任医师再无缘分。

我们听得唏嘘不已。问她那学生现在怎样？

她说已经结婚了，孩子都两岁了。

"他谢过你吗？"

"谢过，可是也只有谢谢而已。"

"你对他表白过吗？""他一直都有女友，怎么可能表白？"

她苦笑："后来，他女友甚至还找我聊了一次，说你不要再在他身边出现了，你的体贴和等待只会给他压力，他根本不爱你，他爱的是我。我只能说你攻心，我从没想过要怎么样。"

"那你不后悔吗？"

"人生不能后悔，只能遗憾，因为遗憾只是在感叹错过，后悔却是否定了自己曾经的选择。"

单恋是一件很壮烈的事情。大部分单恋者活在自己的世界里，这段情感所经历的生死爱恨，仿佛一场一个人的战争，所有的进退维谷，欲擒故纵，虽然只存在于隐秘压抑的渴望之中，却已然可以用波澜壮阔来形容。

单恋也是危险的，它随时可能被残忍地揭穿，心事成为谈资。你惊慌失措，却发现无处可逃，自己成了小丑，全世界都会冷笑着围观。你想做备胎，却反而成了人人唾弃的第三者。

《致青春》中包贝尔扮演的张开是个插科打诨的小配角。然而这个都没太多戏份的小配角，在影片的最后，居然跪在所有男生的梦中情人阮莞的墓前，流着泪说："没有人知道我一直爱着你，我怀着对你的爱，就像怀揣着赃物的窃贼一样，从来不敢暴露在光天化日之下。"那么多年的满天星，原来都是这个其貌不扬的男生送的，而满天星的花语是"甘当配角的爱"。

备胎们的伤感，绝大多数并不仅仅来自于"无法得到"的失落，更多的是被自己无望的付出深深打动；备胎们爱上的不只是一个人，更是自己为幻想中的爱情所付出的一切；备胎们可怜又可爱，他们甚至可能比男女主角更懂得爱的真谛，然而却永无展示的舞台——即使偶尔临场救急，等到正主驾到，依然要光荣下岗。

很少有人愿意承认自己是备胎，为了面子，大约也会强撑自己是"不求回报的爱"。然而这世界从来没有完全不求回报的感情，只是因为有自知之明，求之不得而已。

备胎的爱虽然惨兮兮，却也有独特魅力，甘苦自知，与人无尤。只是，若到头来真等不到结果，也该学会找到属于自己的合适车辆，修正前行的方向，尝尝大路飞驰的滋味。

曾经成为备胎不可悲，那只是人不轻狂枉少年。

"你若安好，备胎到老"，才是自轻自贱，自作自受。

《那些年，我们一起追过的女孩》中，柯景腾最后在给沈佳宜的红包上写下——新婚快乐，我的青春。

这样多好，带着满怀欣慰与温柔，转身成为著名导演九把刀，写下这个故事给全世界分享，珍藏爱情与青春，创造下一段新生。

给你留下我最好的风度，也不苟待自己的尊严。潇洒上路，重新起程。

你若安好，我再起跑。这是属于爱情最好的骄傲。

十倍的辜负

最痛的，往往不是"不爱"，而是"不晓"。

出国多年的儿子要回国了，单亲母亲为儿子准备接风宴。

她去超市购物，一贯节俭的她连价都不讲。

"这种，我要这种，最贵的牛里脊？澳洲进口的吗？称两斤！"

"蓝莓是最新鲜的吗？不是最新鲜的不要。凤梨是今天的新货？好，来一只。"

回到家里更加紧张，她一再叮嘱帮手的阿姨："菜要洗干净啊，起码洗三遍。对了对了，千万不要切了以后再洗，这样营养成分都流失干净了。"

牛骨汤加进上好的牛乳慢火炖起；十几种水果榨成汁在冰箱里早早冻上；饺子包好了三种馅儿；羊排加好调味料煨着，就等儿子一进门再下锅——这样炒出的羊排鲜嫩又热辣。

屋子打扫得一尘不染，唱机里放着儿子最喜欢的外国音乐，鲜花是早上去花市挑的，摆在家中每一个角落。

直到儿子进门的那一刻，她搓着手连围裙都没有摘就从厨房里奔出来，却居然"近乡情怯"地不敢上前。还是儿子上前拥抱了她一下，她的眼里瞬间充满了泪水。

大家坐下来吃饭，她不停地给儿子夹菜，儿子却吃得不多。

她紧张地问儿子："怎么了？是不是饭菜不合口味？"

儿子摇摇头："不是的，吃了飞机餐，所以现在不饿。"

吃过饭，儿子推开碗，很快地说："妈妈，你们慢慢玩，我约了老同学们出去唱 K，先走了。"背起包出了门。

她瞬间失落了许多，却也没有出声阻止儿子。

老友们安慰她，她摇摇头，"孩子大了，有他自己的生活也是应该的。我只是在想，自己忙了 20 个小时，换来他在家里待了 20 分钟。要是时间都可以这样公平折算，该有多好。我宁愿多忙碌几小时，哪怕一小时只换来相聚一分钟，也足够了。"

一个粉丝准备去看一场话剧，是她喜欢多年的偶像主演的。

为了这一场盛宴，她去花店选送给偶像的鲜花。花店老板问她：你要什么花？

她左看右看，拿不定主意。玫瑰？够娇艳，但俗气；百合？够高贵，但使用率太高；向日葵？够阳光，但太硬朗；跳舞兰？够特别，但太稀少，凑不成一束……

对了！她眼前一亮，对老板说："能不能每种花给我拿一支？"

老板吃惊，他闻所未闻这样的要求，但又不好违逆顾客，说："如果你坚持的话，就自己去选吧。"

她于是兴致勃勃在花海里徜徉了一上午，居然真的按她自己的设想，以偶像 6 月 2 日的生日为数字，选择了 62 枝不同的鲜花。其间她被玫瑰的刺挂破手指，也因为花粉过敏打了无数个喷嚏，然而她仍然亲自把满满一捧花设计搭配并包装好，还手写了贺词卡片放在其中。连老板也忍不住啧啧赞叹，说从未见过如此用心的买花人。

话剧一结束她就冲到台边，又不敢大声喊偶像的名字，只拼命地把花束向偶像的方向高高举起。

偶像并没有接过鲜花，只是远远冲她点了点头（也许是在冲她点头吧）。

于是她激动得又哭又笑。

时隔两天，她忽然在网络上晒出一张截图，是她的偶像在后台化妆间接受访问时的一张视频截图。

她写：你们看！我送她的花就放在那里啊！不枉我辛苦了整整一个下午！

事实上，她为了截到这张图，把这个一闪即过的镜头翻来覆去播放了二十几次。

一位年轻的母亲进产房，她选择顺产，一路痛得死去活来，最后连哭都没力气。

等到孩子生下来，丈夫问她："想过会这么痛吗？"

她虚弱地躺在病床上，"没有！当时我还问过我妈，生我时痛吗？她说挺痛的，给我描绘了一下具体的场景。可是我真没想到，居然会这么痛。比她的形容足足痛了十倍还不止！"

她费力地伸手抱起自己的宝宝，轻轻摇晃，眼生慈爱。

"所以现在我理解我妈了，她为我付出的爱，远不只我看到的那么简单。痛和爱一样，也是乘以十倍的。"

童话中的小美人鱼，为了与王子相见，失去最美的声音，忍着步步剧痛，将鱼尾换成人腿，来到他的世界。最后依然无法将爱说出口，眼睁睁看着王子与公主结为连理，却也下不去伤害爱人的手，纵身一跃，化为海中洁白泡沫。

安徒生多么残忍，自始至终，王子都不知道小美人鱼内心的真实感情。

这沉重的爱，让一个女孩子倾尽所有，相付今生。

往往最痛的，不是"不爱"，而是"不晓"。

我们收到一份爱，再回以一份辜负，以为两不相欠，不过如此。

却不知爱之深不可测，无人知晓"背后的故事"，才用简单的推搪或敷衍，草草了却这份心意。

一封信也许写了改改了写，字斟句酌，写到潸然泪下。

一句话也许思前想后，战战兢兢，鼓足勇气才敢开口。

一个拥抱也许包含了太多太多的感情，无法用言语倾诉，只好使用最简单的肢体语言，只盼对方可以了解，可以感受。

把爱捧到我们面前的那个人，也许并不止于表相的一切。

他花费了十倍的时间与心思，只为博君一笑，哪怕这份爱非你所愿，也请欣然笑纳，亦当为这份爱敞开十倍的心怀来包容，才不至于狠狠辜负那份你永不知道的付出。

收到爱的时候，把爱乘以十，你会更加将心比心。

付出爱的时候，把爱除以十，你不会太伤感失落。

情之一事，无法以数目精确计算，却能有所感悟。不要做茫然不晓所获的感情白痴，徒伤人心而不自知。

爱，可以不回报，不可不知道。

下一次的补偿

所有惨烈代价的本身，都是值得珍视的补偿。

有个女孩子，前前后后谈过二十几次恋爱，直到现在也没结婚。

她的朋友们起初都觉得她有些轻率、不负责任，甚至游戏人生。直到这几年，大家开始逐渐改变看法。

她的男友高矮胖瘦各不相同，职业也五花八门。偏偏她又是爱得很执着的个性，每一次确立关系，都坚持去了解男友的职业或者爱好，声称"只有共同语言的爱人才能天长地久。"

一位男友是潜水教练，她用了一个夏天的时间把自己晒得黝黑，从一个连游泳都只会扑腾几下的菜鸟硬是考到 NAUI（国际潜水教练协会）的 Dive Master（潜水长）等级。

另一位男友是厨师，她就泡在烟熏火燎的厨房里研究，还特意去报了个西点班，直到各种中西菜式外加点心做起来毫无压力。

为了与出版社的编辑男友多接触，她写了四本书，两本小说两本散文，居然还小畅销了一把。

甚至为了两任外籍男友把法语和西班牙语学得纯熟，还拿了两所大学的 offer，只为了可以"双宿双栖"。

没有一任是长远的，她为此也十分懊恼。想是没遇见真正的有缘人，幸福还在远处，遥遥无期。

却无人想到，三十岁之后，这个女孩子居然进阶成一位品质上乘、气质优雅的女人。虽然爱情依旧没有结果，却活得风生水起。丰富的人生体验和成就，均成为她闪耀光环的点缀。无人不喜欢如今的她，谈吐得体，见识广博，性格明朗，多才多艺，十分迷人。

在一间公司的会议室里，有一位来应聘娱乐记者的女孩吸引了主考官的目光。

她不漂亮，也不是名校出身，刚刚毕业，也没有相关工作经验，但所有电脑基础技能都很娴熟。懂视频基础制作、摄影、文笔也相当不错，让她在半小时内写一篇稿子出来，她迅速交卷且像模像样，和那些做过几年的娱记相比也不遑多让。应对更是得体，落落大方——也就意味着，她的上级完全不用再给她做"基础补课"。

主考官忍不住夸奖了她几句，然后好奇地问她："作为一个刚毕业的学生，为什么你懂得这么多？是不是以前有过类似的从业经历？"

她连忙摇头，说我真的没做过这个行业，我只是……曾是 XX 的粉丝团团长。

哦？

XX 是一个知名的国外明星，来中国的次数屈指可数。主考官问她："这样一个相距遥远，高高在上的人，你爱他什么？"

她的眼睛亮闪闪的："什么都爱。每次想到他，我的心情就会很好。"看来是真的喜欢。

"那……你学会这些东西跟你做他的粉丝团团长有什么关系呢？"

"当然有关系。"她掰着手指头如数家珍，"他偶尔来一次中国，我怎么能不去看他？所以我用所有课余时间打工，给别人做业务表格，做电话推销，攒钱买了一台单反相机和一台 DV。"

"然后我开始学摄影，就为了把他拍得更漂亮。还有视频拍摄和制作，剪辑他的花絮啊、短片啊，供粉丝团分享。"

"我写所有关于他的文章，会有很多和我一样喜欢他的人来看，我觉得特别有成就感……新闻稿当然简单多了，这四年时间我看了不知道多少关于他的新闻，光是看，也能背下来那些句式和套路了。"

"你见过他几次？"

她想了想："四次。"

"只有四次？"主考官忍不住有点震惊，喜欢了四年，只见了四次，还可以维系这样的爱和付出吗？

"没关系啊，和我一样喜欢他的人有很多，经常见面聊天，唱 K 喝茶。作为粉丝团团长我还要经常组织一些国内粉丝的大型聚会，比如他过生日的那一天，给他买一个生日蛋糕，虽然他不在，我们也特别开心，照唱生日歌，照吹蜡烛，每个人费用 AA 制，很有意思的。"

"就没有过麻烦吗？"

"有，怎么没有，比如粉丝团里的账目都是我们几个负责人来管，当然会有质疑声啊，也会有想要取而代之的。跟《金枝欲孽》里演的一样，斗来斗去，可累了。"她撇撇嘴，"所以后来我想通了，不做了。"

一个庞大的粉丝团内的人事关系，其实并不亚于一家小型企业，可能还更复杂。想要被更多的人甚至偶像关注，维系朋友关系，也许还有"敌人"……必须把自己锻炼得更加优秀，甚至十项全能。

她得体的应对，不错的能力，无不来源于此。

"那你现在还喜欢他吗？"面试结束的时候，主考官问了最后一个问题。

　　"还喜欢吧，只是……没那么喜欢了。"她笑起来，"我也有自己的生活啊。"

　　她成功通过了面试。

　　没有理由不接纳这样聪明的一个女孩。

　　懂得学习，懂得吸纳，懂得勤奋，懂得爱，也懂得放弃。

　　绝大部分人都曾有过"为爱痴狂"的日子，当感性主宰理性的时候，人总是难免陷入一种不能自拔的情绪里。不但享受着甜蜜与美好，也会做出"不可理喻"的傻事，爆发出前所未有的能量，拼尽全力去守护这份情感。恋人们声嘶力竭："我爱你，我愿意为你去死！""做什么我都愿意！"

　　必须相信，在当下，也许他（她）发自肺腑，他（她）真的愿意这样去做。然而当激情褪去，很多人渐渐恢复冷静，于是开始感到惶恐，开始抱怨自己，居然曾在这样没有结果的事物上浪费了这么多光阴。简直"亏大了"。

　　真的吃亏了吗？

　　上帝从来都在。回头看看那段全情付出的日子，那些在不经意间播下的种子，已在无声无息中将生命绽放得花香弥漫。

　　你暗恋一个男孩子，想要与他考入同一所知名大学，本来成绩平平的你刻苦奋发，终于如愿以偿。最后他依然不爱你，选择了另外的女孩。可那又怎么样呢？你已在爱他的过程中，给自己打造了一个不一样的灿烂前程。

你以为那是"爱的代价"，殊不知也许是"爱的收获"。

可能你不曾获得那么多实际的"好处"，你会恨恨咬着牙说："他（她）除了伤害，什么都没有留给我！"

仅仅是得到一场在爱里受的伤，那又有什么不好？至少下一次，你会成熟，会成长，会更加懂得如何对待另一半，如何不让自己受伤又让他人更快乐，懂得磨合，懂得爱与被爱，如何珍惜爱、守护爱、延续爱。生命越来越润泽，活得越来越通透。

这个世界从未亏待你，转头看看，它有另一扇窗。
那个全新的世界，会给你足够的补偿。

相处容易，亲密很难

你与最亲爱的人是"相敬如宾"还是"相敬如'冰'"？
无论如何，都不要耗到"相敬如'兵'"那一天……

有一对情侣，大概谈了五六年的恋爱，女方家里始终不同意。最后还是女方坚持要与男方在一起，动之以情晓之以理，家里才松了口，于是有情人终成眷属。

然而女方却在婚后的某一天找我出来喝酒，面带愁容。

"现在一切不是都很好吗？你们终于如愿以偿了，还有什么不顺心的事情呢？"我好奇地问她。

"我爸妈对他也很好，很客气……但，就总觉得太客气了。"

"怎么个客气法？"

"我爸只要对他开口，肯定是带着'请'、'麻烦了'、'辛苦了'……我妈呢，也很少和他说什么家长里短的事情，永远都是客气着。甚至去超市，他们都不肯用我老公的信用卡，坚持要自己付账，搞得他很尴尬。"

我忍不住笑："客气还不好？不用你们的钱，也是为了你们好。"

"刚开始这么客气很正常，可我们也结婚三年了，还是没有任何改变。老公虽然不说这些，但是我能感觉得到，他是有点儿难受的。"

"我婆婆就很好，总要我陪她一起上街买衣服。如果我说不好看，她就会嘲笑我是烂眼光。但我买给她的衣服，她总是高高兴兴地穿上，逢人就说：'这是儿媳妇买给我的！漂亮吧？'在他家里，我从没觉得自己是个外人。"

她最后做了一个总结性发言：人和人之间，不能太过于"相敬如'宾'"，时间久了，就变成"相敬如'冰'"了。

这件事过去几个月后，这位女朋友又忽然约我出来。我对这件事的后续发展颇感兴趣，于是也欣然应邀。

刚坐下就见她一脸喜气，拉住我的手说："事情解决了！"

她找自己爸妈长聊了一次，说清了自己内心的感受，也坦然对他们表达了"我爱你们，也很爱他，希望与他过一辈子，更希望你们可以彻底理解我，接受他”的想法。

"话是说了，但我心里还是忐忑的，生怕我爸妈听是听了，但做起来很难。

"就在上个周末，我妈在厨房里做鱼，忽然探出头来喊我老公的名字：XX，赶紧把冰箱里的葱拿过来！

"老公愣了一下，然后才反应过来是在叫他。他赶紧去拿葱，可越急还越找不到。我妈就继续叫：你这孩子怎么这么慢！快点儿我等着下锅呢！我老公忙不迭拿着葱跑过去了，还喊着：来了来了！

"当时我看着心里那个乐啊，就趁热打铁跟我妈说：妈！您可真会使唤人儿！

"结果我爸在旁边眼睛一瞪，说：一个女婿半个儿，你妈使唤自己儿子，怎么了？"

她眼睛里笑意盈盈："你知道吗，那个时候，我觉得心里有块什么坚硬的东西一下子破开了，化了。我老公，一个大男人，当时眼泪都要掉下来了。"

人与人之间的亲密相处是一种很微妙的"道"，相处容易，亲密却很难。

礼貌也许意味着疏远，客气也许意味着距离，一句"谢谢"可能正投射了你无意识的见外。其实你不知道，那个人想要的并不是一句感谢，而是一种"自己人"的独有亲昵。

几个朋友吃饭，Daisy 随口抱怨："Sara 好过分哎，经常下半夜给我电话聊她的心事，这个人想要倾诉的时候，还真是不管不顾的！"

说者无意，听者有心。那次饭局后的一段时间，Daisy 与 Sara 共同的朋友 Alisa，渐渐与她们疏远了。

Daisy 仔细想了又想，却不知是哪件事让 Alisa 不愉，只好找她出来聊天。

她起初不愿讲，后来喝多几杯，终于还是说了实话。

"我与 Sara 的关系那么好，对她掏心掏肺，她生病时我陪在她左右，她生日时我费尽心思帮她办 Party，给她选礼物，可是这么多年来，她从来都没有在深夜给我打过一次电话。"

"如果是她本没这样的习惯倒也无所谓。"她咬了咬嘴唇，露出微微嫉妒的表情："可同样都是朋友，为什么她会愿意不顾及你的情绪，下半夜给你电话讲心事，却对我这么见外呢？"

"也许是你想太多了。"Daisy 有些尴尬，没想到她居然是因为这样的事情而纠结，"Sara 本来就是个神经大条的人！她可能只是随手按的电话。"

Alisa 把酒杯贴在脸上，表情有一点儿难过。

"有时我情绪低落，也很希望自己在乎的朋友过来问一句：嗨！你今天情绪看起来不是很好，你怎么了？……可是 Sara 从来没有。"

Daisy 不知该如何安慰她，"呃……也许她不够敏感吧？"

"但是她会在深夜给你电话，也会在别的朋友酗酒时过去很直接地问他究竟发生了什么事。"Alisa 直视 Daisy。

Daisy 艰难地解释："也许……她更重视你这个朋友，不愿干涉你的私人空间。"

她似笑非笑地看着 Daisy，"如果我们交换位置，这样的解释，你相信吗？"

Daisy 自然也是不信的。

无论朋友也好，恋人也罢。你对一个人感情渐深，应是不分彼此，肆无忌惮，自然流露，才是最真实的在乎。而对方也会因你的情绪变换，而感受得到这份在乎。

读过一个有趣的小故事。

兔子先生和兔子太太回到家里，兔子先生很高兴，因为他升职了，他迫切地想要与兔子太太分享；兔子太太却不开心，因为松鼠小姐冤枉她偷了她的坚果，但她不愿意把坏情绪传染给兔子先生，于是郁郁寡欢地回了房间。兔子先生也很委屈，他们背对背睡了一晚。

与此同时，狐狸先生和狐狸太太也回到家里，狐狸太太不高兴，因为灰狼太太嘲笑了她的项链款式，她哭着告诉狐狸先生，狐狸先生很心疼也很生气，立刻拉着她去订做了一条新的项链。狐狸太太好开心，她想，狐狸先生是真爱她的。那一夜，他们甜蜜地相拥而眠。

相处容易，亲密很难。

是否亲密无间，并不取决于一纸证书、一个称呼甚至一句承诺，它只取决于一个人在另一个人心中的位置，是否敞开心门，任君撒野。

愿意放下所有戒备，倾诉喜怒哀乐，也感受到对方情绪的细微变化，相互了解，将彼此的倾诉作为最好宣泄情绪的渠道，轻松、惬意、安心，毫无后顾之忧，这才是真正的亲密与和谐。

爱，不仅仅是维持一段关系。

对于有情人来说，它更是重视、分享和无条件的信任。

永衡的爱情才永恒

我从来都不是拜金的人。我拜的只是感情。

何平约了我们几个朋友去卡拉 OK，唱了几曲以后忽然眼圈泛红，坐在沙发上一脸伤感。

朋友问他怎么了，他说："我跟许云分手了。"

大家都很吃惊。

在朋友圈里，他们两个是典型的模范情侣，从大学时就在一起，一晃已经十年了，怎么会分手？

何平说："都怪我穷，给不了她更好的生活。"

何平讲起许云时，还是带着很深的感情。

这也自然，当年许云跟了何平，本就是一段校园佳话。

许云是我们的校学生会主席，清纯可爱，追求者甚众。何平则是体育特招生，人长得高高大大，阳光开朗，就是有些孩子气，贪玩了些。两个人在一起的消息传出时，颇伤了班上一票暗恋许云的少男心。

大学毕业时，许多情侣都分手了，可许云却对关系很好的几个姐妹态度坚决地说："何平在哪里，我就在哪里。"果然，何平回到家乡发展，许云毅然抛下一切，陪着爱人双宿双飞，到那座小城找了份工作。

当时朋友们听说了都佩服许云，也感叹过这才是真爱无敌，觉得吃到他们喜糖是迟早的事，甚至还讨论过给红包是一份还是两份……谁想到转眼十年过去，喜糖没等来，倒等来了分手的消息。

何平说，许云跟他分手后，回到了自己的家乡，与一个飞行员迅速恋爱结婚了。据说那飞行员家里也颇有背景，买了栋小别墅做新房，还送了许云一辆车。

何平最后总结："也怪我这些年一直没机会，始终当个电视台的小摄像，每个月就赚 3000 块，连买婚房的钱都凑不齐，她怎么等得下去？久病床前无孝子，久贫家中无贤妻。我不怪她，走就走吧。"

朋友们听得唏嘘不已，忍不住纷纷安慰何平，也陪他感叹了几句"世事无常往事莫追"，"贫贱夫妻百事哀"，"人往高处走，水往低处流"云云。直到他脸色恢复正常，又干了几杯酒，才各自告辞。

事隔几天，其中一位朋友出差，居然遇见了许云。

老同学见面少不了寒暄几句。那朋友是个直肠子，想起何平说的事，心下难免不豫，面上也流露了一二。许云发觉了，便询问缘由。

朋友支吾着："前些天，我们与何平见面了……"

许云露出了一个"明白了"的表情，苦笑了几声。然后问朋友："你愿意听我说说吗？"

朋友自然无法推辞。

在许云的讲述里，她从未因为金钱而放弃爱情。

她轻轻叹气："如果我是拜金的人，从最初我就不会选择何平。追我的人也有身家不菲的，可是我谁都没选，一心一意跟着他。"朋友也不得不认同这句话。

"毕业以后我连想都没想，就陪他回了他的家乡。虽然两个人的工作收入都不高，可我特别开心，就想跟他一起努力，只希望他对我好，就是一个温暖的家。可是……十年了，他从来没有让我觉得有任何的安全感，我无法依赖他。"

在许云的记忆里，刚刚开始工作的时候，她经常深夜加班回家。打电话给何平，他不愿意下楼接她——只因为他的好哥们儿来了家里，两个人玩实况足球正如火如荼。许云一个人瑟瑟发抖地走在黑暗的小区里，被一只突然蹿出的流浪猫吓得大叫，蹲在地上哭起来，然后默默擦干眼泪再回家。

许云病了，高烧，39℃，何平在酒吧喝酒，给他打电话，电话里的声音听起来很着急，"老婆你怎么样了？我马上回家！"然后许云从晚上八点一直等到凌晨三点，何平才回来。那时许云早已吃了药昏睡过去了，何平居然还把她摇醒，问她怎么样了。

冬天时，许云来了例假，肚子疼得不行，难受，手脚又冰凉。刷碗时没有热水，何平在屋子里嗑瓜子看电视，许云喊他帮忙，他答应着就是不动，最后还是许云用凉水把碗刷完了。

睡觉时许云试探地把脚放在何平的身侧，他立刻拨开，"哇！好凉！你可真自私！"

许云工作中遇见了烦恼，回家只想对何平倾诉。她动情说了半天，眼泪都下来了，侧头一看，何平居然呼呼地睡着了，怎么摇也摇不醒。

"这么多年，他始终就像一个长不大的孩子，不但无法给予体谅，也无法给予我依靠。对于他来说，NBA永远比陪我逛街重要；跟哥们儿一起喝酒永远比陪我吃一顿晚饭重要；他可以迅速发现网吧里又更新了什么游戏，却从不曾注意过我今天换了什么样的新衣服；他把钱都输在牌桌上，却不愿意存下来陪我去旅游。我每次跟他提结婚，他都会说，没钱，觉得这样娶我太丢份，想要买了房子再结婚，想给我更好的生活……"

许云说何平不知道，她根本不在意有没有房子，甚至为了想要跟他结婚，去买了两枚镀金的假钻戒，幻想有一天他们结婚，他不会因为没有戒指而措手不及。

许云没有想到，压断她的最后一根稻草，是那年自己父亲因突发脑溢血过世。

听到噩耗的那一刻，许云觉得天都塌了。"那是我的父亲啊，生我养我的父亲啊！我拿着电话的手是冰凉的，连哭都哭不出来了。放下电话，我抓着何平的袖子，浑身都在抖。我说，何平，快，订两张机票我们回家。"

何平走到电脑前，犹豫了一会儿说："一定要现在就走吗？"

当时许云简直以为自己听错了。她问他："我爸过世，难道不该用最快的速度回家吗？"

何平依然在支吾，在许云的再三催促下，他才说出自己的理由。原来他最喜欢的外国球队隔天会来到这座城市参加一场跨国比赛，他很早就买了 VIP 票，觉得现在要是离开实在太浪费了。

何平劝许云："……不如你陪我多等一天，看完比赛我们再走，那张票要 2000 多块，不看太可惜了。反正你现在回去也来不及了。"

说到这里，许云声音有些微微的颤抖。"那天听他说完那些话，我什么都没说，自己去了另一个房间，收拾好行李，把我所有能带的东西都带上，买了张机票，当晚就回了家。"

许云临走时给何平留了张纸条，告诉他好好在家看比赛，不用过去了。

他果然没有过去——大约与球友们因为赢了比赛又连夜狂欢去了。

许云给爸爸办完葬礼之后，再也没回过何平的城市。

"我找了份新工作，然后迅速地相亲，结婚，对于老公我没有任何挑剔。他对我不错，也可以给我足够的物质保障，我生活得很安定也很满足。我们之间没有那么深的爱情，但是起码，没有感情，还有物质。"

何平给许云打了许多个电话，她都没有接。何平后来到许云家找她，她对他说：请你回去，我们之间已经再也没有可能了。何平哭了一次，也骂了几次，可是许云都是一脸无所谓，最后，何平终于走了。

"也许他会觉得我绝情，会觉得我残忍，也会对旁人说是因为我拜金导致情感破裂。但是十年了，我已经为他付出了一个女孩最美好的所有青春和爱情，这足已证明，他说的并不是真实的原因。"

许云抬起头，眼睛里都是泪水。

"我从来都不是拜金的人，我拜的只是感情。"

这个社会上的男人们常常抱怨如今的女人太过势利，"眼睛里盯的都是男人的钱，开口 LV，闭口 Prada，哪有真爱可言"。他们却不知道，当真爱就在面前，他们却根本没有能力珍惜和挽留，反而让真爱流着眼泪，头也不回弃之而去。

并不是所有的女人都渴望香车别墅，有为数不少的容颜姣好温柔体贴的好女人，愿意与男人一起吃着馇馇咸菜，住着出租屋，带着期待的心陪着他奋斗。情深似海、生儿育女、照顾老人、一日三餐、养家糊口、患难与共、生死不离。

她们虽然没有那么丰厚的物质需求，要的却是另外的东西。

她们要温柔呵护，贴心问候；要的是雨天里的一把伞，病床前的半碗粥；要的是拿起水瓶时有人接过去顺理成章地拧开，走在路上会有人自然走在有车的那一侧；最重要的，她们要的是想流泪时的宽厚肩膀，要摔倒时被紧紧握住的手，倾诉时沉默聆听的耳朵，和失意时那个有力的长长的拥抱。

张惠妹唱：原来你什么都不想要。

其实从来就没有什么都不想要的人。

有了付出，就更渴望对等的回报。只是每个人期待的回报都不尽相同。

好女人寻找伴侣，最少要一个理由，才可以支撑她一生。从漫漫花季长成亭亭玉立，每一个女孩都是父母精心呵护而成，如春日初绽的鲜蕊。谁堪采撷？何以怜她？你又用什么保障她的一生不凋零？

并不是所有人都做着"白马王子驾着珠光宝气的马车前来求婚"不切实际的梦想。只是，如果一方面你给不起，另一方面总要有相应的补给。比如足够的诚意，自强与上进，或令人动容的温情，方值得一片痴心，不算错付。扪心自问，你给得起哪一种？

幸福需要双方的给予。你给她的爱，是否足够她撑过漫漫岁月，撑过柴米油盐的艰难，撑到你们白首偕老的那一天？

给不起经济保障，更给不起情感保障的男人，没资格拥有好女人。在世界的许多角落，我们可以看到，有太多的爱人，尽管粗茶淡饭依旧亲密无间，他们是彼此的拐杖，举案齐眉，相携相扶。他们从不吝惜对于彼此的付出，而当这种付出成为完美的平衡时，就足以支撑两段幸福的人生。

在感情的世界里，从来都是这样。唯有永衡，才能永恒。

最好的伤口

不被原谅的坚强

如果重新来过，你，愿意示弱吗？

草原上住着一户牧民，养了几条看家护院的狗。

其中有一只藏獒，生得体形巨大，威风凛凛，他很是喜欢。某天晚上羊圈里进了狼，几只狗狂叫起来，冲出去撵狼，他也跟着跑出去，却发现那藏獒跑得最慢，在几只狗的后面磨磨蹭蹭。

狼被赶跑以后，他回到家中"论功行赏"，看见那只藏獒就来气，一点吃的都没给它。那藏獒见主人不理它，也不摇尾乞怜，就独自回到羊圈，趴在那里也不再吭声，足足几天没吃东西。

后来还是邻居看那狗可怜，就过去喂些吃的，那藏獒不肯吃别人的投食，却知道站起身来摇尾道谢。邻居看藏獒站的姿势有些奇怪，就唤主人出来检查一下。

主人这才发现藏獒的脚底被狼咬伤了，伤口几可见骨，已经化脓。原来那天藏獒先发现了狼群后扑上去撕咬，虽然赶走狼群却也被狼咬伤。主人懊悔不已，可是伤口因为太久没有处理，藏獒的一条腿彻底跛了。

主人见了人就抱怨："你说一条狗也能这么倔？叫两声讨个饶，我不就发现伤口了吗？宁肯废了一条腿都不吭气，真让人心疼都心疼不起来。"

一个女孩被老公劈腿，恨恨地骂：

"你说现在的男人都怎么了？脸皮厚到这个地步，搞七捻三也能这么理直气壮！最后被我抓奸在床，居然表现得一点歉意都没有，还号称他俩是真爱！你没看那小三在他怀里哭得那叫一个凄惨啊，口口声声求我放过他们，真不知道谁才是受害者！"

朋友问她："你目睹这样的场景，是怎么做的？"

她摇了摇手，"能怎么做？虽然我当时都快崩溃了，可一哭二闹三上吊这些事我还真做不出。就咬着牙骂了句狗男女，我给你们俩腾地方！摔门就走了。"

"然后呢？"

"然后？然后那极品男人居然四处说我是个男人婆，对他根本没感情，也不挽留他，肯定是早就预谋想甩了他了，这次是故意设陷阱让他往里面跳。结果居然有亲戚跑来跟我说：哎呀，女孩子不要那么深心机啦，好合好散，何必闹成这样呢？简直气死我！"

"那你有解释吗？"

"解释也没用啊，人家说，你看你当时连眼泪都没掉，可见是铁石心肠，对这段感情毫无留恋。如果真的爱过，怎么会一点都不脆弱？"

她气得咬着牙，眼圈都红了，狠狠地说："我就是不想为那个王八蛋流一滴眼泪！我扛得住！但是，坚强也是错吗？"

坚强不是错，坚强却很难被原谅。

儿时我们犯了错，被家长打了一巴掌，犟着不肯哭，往往得到的结果是继续被打，如果撒个娇，服个软，掉两滴眼泪，很少有爸妈还能再下得去手。

读书的时候，回答不出问题，老师教训几句。老实的学生规矩听着，听完也就换来一句"坐下吧，下次好好听讲！"叛逆的学生会梗着脖子跟老师辩，被老师一教鞭赶到走廊里罚站。越罚越不讨饶，越不讨饶罚的时间越久。

在公司工作，同样是在会上被老板批评，那个含着眼泪，诚恳检讨自己错误，然后软软地说"大家再原谅我一次，下午我请大家喝咖啡"的小姑娘，不管犯的错误有多么低级，所有人都会报以温和的目光，然后纷纷说好吧好吧，下次不要这样了哦。

而那个静静听完，说"好的，我知道了"，再抱着一摞厚厚文件，脊背挺直，冷冷地目不斜视走出会议室的那个女人，一定不会为人所同情。所有人都会在她的身后窃窃私语："有什么了不起的，看，这次被骂了吧！活该！"

就连路边被城管追着打的小摊贩，倒在地上满头流血连声呻吟的那个，必然激起围观者的义愤，呼吁救助。而奋起自卫，与城管扭成一团，打得不分伯仲的那个，却多数得不到宽慰，没准还要吃官司。

这个世界喜欢理解弱者。

其实我们都是弱者。

只是我们希望自己是强者，所以在看到那些比我们孱弱的人时，总会毫无原则地付出微薄的同情心。

而那些强大的人，我们下意识地认为，他们看上去完全不需要帮助，可以轻松解决一切问题。我们甚至还会残忍地想，为什么对方会那么强，毫发无伤，如果再补上一刀，看看这个人会不会崩溃跪地求饶？

　　其实我们也是强者。

　　在遭遇厄难时，也想要示弱，想要哭泣，想要别人的拥抱、呵护和包容，却迟迟难以低下倔强的头。

　　挺直的身躯是一把尺子，丈量出尊严和利益之间的距离。

　　一边恨着为什么没办法向这个世界妥协，一边恨着这个世界为什么不肯流露半分温情。

　　一个人若是坚强太久，连自己也忘记了软弱是什么样的。

　　电影《穿普拉达的女魔头》中，安妮·海瑟薇接到老板梅利尔·斯特里普的指令，要她亲口告知原本的第一助理艾米莉，自己已经取代她成为巴黎国际时装周的随行助手——尽管艾米莉无比渴望这次行程，并为此节食几月，甚至在接到安妮电话时被车撞倒，伤痕累累住进医院。可是在听到这个消息之后，她只有泄愤似地往自己的嘴里填充着食物，尖锐而犀利地评判着安妮并不是真心热爱那些时装和这份工作，没有号啕大哭也没有歇斯底里。

　　最后她简单又苍凉地说了一句：不要说什么了，你走吧。

　　当坚强变成习惯，连起码的释放都成为奢望。我们会为了电影里柔弱可怜的女主角掬一把同情泪，却在看到艾米莉压抑的表情时只觉得难以言喻，百味杂陈。

　　坚强的人让自己加倍痛苦，也让所有感受坚强的人渐渐心如磐石。

　　我曾对我的朋友说：不要太坚强，要给别人原谅你的机会。

结果她反问我：如果我愿意原谅你所有的过错，你愿意示弱吗？

我终究没有回答出这个问题。

每个人都漠视着坚强，却不约而同假装坚强。

因为太怕被看穿，那些华丽而凛冽的外壳不过是单薄的伪装。像肥皂泡，轻轻一碰就破灭于无形。

承认吧，坚强只是一场强撑的演出。台上卖力扮演，台下应者寥寥。

即使重新开场。你，愿意谢幕吗？

放下的资格

其实这么多年的奔波风雨，功成名就，

不过只是为了有一天重逢伤痛，你可以拥有一份放下的资格。

她从小父母离异，她跟母亲生活，母亲再婚后生了个小弟弟，外公外婆古稀之年方得外孙，自是十分金贵。

她考大学的那年夏天，某个傍晚，她抱着弟弟坐在阳台上乘凉，一手拿着英语书背单词，一手抓着弟弟不让他离开自己的膝盖，还不停叮嘱他："老实坐着，再等一下妈妈就拿刨冰回来吃了。"三岁的小男孩正是好奇好动的年龄，哪里听她的？趁她不注意用力一挣，想往外冲却力道没掌握好，头撞在地上，哭了一声，然后就没动静了。

她吓得赶紧扑过去喊弟弟的名字，外公和外婆先听到声音出来，外公见状，二话没说先给了她一个耳光。她被打蒙了，站在那里一动不动。

但那并不是她最难过的一瞬间。母亲和继父后来也跑出来，母亲在弟弟身边跪下了，一边哭天抹泪一边抬起头来看了她一眼——

她打了个寒战，那是多么难忘的一眼。她从来没有在亲人眼中看到那样的眼神，冰冷，仇恨，和……一种类似恨不得她去死的东西。

还好弟弟没有大碍，只是头上缝了几针。她后来为此又结结实实挨了一顿毒打，但是从头至尾，她没有哭出一声。

她后来考上了一所不错的大学，毕业后留在了那大学所在的繁华城市。

整整十五年，再没回过那个家。

她进了一家外企，说一口流利的英文，还自学了意大利语和法语，工作十分努力，颇得老板赏识，终于升到副总的位置。买了车和房，还嫁了一个英俊的澳洲男人做老公，活得滋润潇洒。

母亲打来电话，言辞恳切劝她回家。她考虑再三，终于同意了。

她完全是"衣锦还乡"的气场。"我是抱着施舍的心踏上回程的。"她对朋友说。

回去以后，她才发现，外公外婆早已去世了，继父和母亲近似卑微地笑着，唤着她的小名。弟弟上着一所职高，学习不太好，见了她怯怯地叫姐姐。

她看着这个家，突然不知道该说什么才好。

这么多年，她从没觉得职场上什么是艰难的，同事都觉得奇怪，从不见她喊加班苦或累。只因她一直觉得，没有什么会比曾经那些往事更难以忍受。

她是怨他们的，怨了十五年。可那个瞬间，她居然发现，自己不怨了。

那个下午，她坐在阳台上，陪着母亲聊这些年经历的故事。她靠在她的肩膀，看她拿下老花镜擦眼泪，阳光暖融融地照在身上，只觉得心中平静无比，安详喜乐。

有过最深刻的怨恨，与最耀眼的成功，所以宽容和原谅，也更加深刻。

有一位电视剧投资人给我讲过一段不为人知的往事。

他说那时他初入此行，一腔热血做了几次投资，却赔得一塌糊涂，被人追债。这时一位编剧找到他，是个新入行的大学生，写出本子，声称希望他能读一下，给些意见，当然如果能卖掉就最好了。

他一读居然十分惊艳。剧情跌宕，趣味横生。他凭多年经验暗暗判定，绝对是部可以大卖的好剧。但他当时穷困潦倒，根本无力支付任何费用。在把本子还给大学生之前，他心中一动，做了让自己后悔一辈子的一件事。

他把剧本复印了，然后对那大学生说："还是写得不够好，回去再磨炼磨炼吧。"

大学生千恩万谢地走了，他转身就拿着这个剧本开始四处找投资，凭着三寸不烂之舌和这个精彩的剧本，居然真的被他拉到了一大笔钱，随即是筹措人马，以最快的速度开拍。

这部电视剧最终狠狠火了一把，投资人大赚一笔，还清了所有债务。

自始至终都没有人追究他的责任，那名学生也保持着沉默，可是投资人的心里却就此打下了沉重的心结。这心结让他寝食难安。

投资人最终做出了一个决定。他并没有去找学生道歉，而是利用各种关系去购买学生的新剧本，并努力将剧本推荐给好的制作人，又在幕后竭力推动拍摄与宣传。果然，几部剧投拍下来，学生已在圈子里炙手可热，名利双收。

投资人这才找到学生，诚恳承认当年的错误与不得已，给出丰厚的补偿，并承诺如果需要，自己甚至可以当众道歉。

此刻已是当红编剧的学生表现得十分宽容，微笑着说您真的不必这样，此事我早已不放在心上。两人促膝长谈，居然成为朋友，并商讨全新合作。

事后有人问投资人，为什么要绕这么大一个圈子？当年如果他愿意拿出一笔补偿给学生，不是更加简单直接？

投资人说：如果那时我去道歉，他即使接受，心中也必然纠结难平。此刻他是成功人士。作为人生赢家，气度自然不一样——看得开，见识广，过往烦扰已如浮云掠日，不过尔尔。这时再登门表达歉意，他所回应的，才是真正的放下和不计较。而对于我来说，看到这样的他，我也才会真正地放下。

人人有资格放弃，却并不是都有资格放下。

放弃是一种遗忘，在无力改变现实的面前，所选择的不得已而为之。

放下却不是放弃，是自由选择对自己的救赎，发自内心的解脱与释放。

受过伤的人，在卑微岁月里学会的不是沉沦和颓丧，而是聪明而合理地转化势能，无所畏惧，迅速成长，让自己的生活获得炫目光彩。

只有胜利者，在重新面对不堪往事时，才会有能力露出一个淡然的微笑，说一句：都过去了，都原谅了，都放下了。

因为强大，才有资格放下。

甜必入口，苦需出口

甜必入口，方知甜美；苦需出口，才得忘却。

Lisa 终于要结婚了。

她是我们几个密友中年纪最长的一个，也是条件最好的一个。久久未嫁的原因只因为：太挑剔。

这次她终于满意，喋喋不休跟我们赞美着男友的完美。

"他比我大两岁，身高 185 厘米，混血儿，长得极像丹尼斯·吴！剑桥大学毕业，自己回国白手起家，现在生意做到东南亚，在欧洲都有两栋别墅。"

她掩不住的自得："最关键还是人品好！跟他相处的人——从朋友、老板、下属到同事，没有一个人不夸他 Nice！宽厚随和，彬彬有礼。哪怕是竞争死敌，他都没跟对方大声说过一句话。我简直不能相信，这么好的人居然将要成为我的老公！"

我听着她的形容，也为她高兴。

只是隐约觉得有些不对。

这世上还有这么完美的未婚大龄男人？听起来几乎毫无瑕疵，堪称不食人间烟火的典范。

这实在令人有些不解。

事情的发展出人意料。一年后，Lisa 突然提起诉讼请求离婚，理由是家暴。

我们在酒吧里再见到 Lisa 的时候，她早就没有了当初的光鲜与幸福，一脸憔悴，眼睛里都是血丝，一边大口喝着酒一边恶狠狠咬着牙诅咒她的老公——彼时已经是前夫了。

"他真是变态，在外面跟别人笑脸相迎，回到家里，我做饭稍稍慢了点，他就能拎起皮带抽我！最狠的一次，他追打我出了门，我脱了高跟鞋一直狂奔，他实在追不上了，抓起个花盆就冲我扔过去，砸得我头都破了。"

"他在外面人模狗样，回到家里却脏得要死，袜子和内衣几天不换，吃饭掉一沙发饭粒。暴躁、阴郁、喜怒无常……他没有一天不打骂我，他骂我是图他的钱，骂我是废物，还骂他那些工作伙伴，难听的话简直没法形容……你们不会相信的，如果见到那样的他，每个人都会以为自己出现了幻觉。"

她忍不住哭起来，"为什么外界评价那么好的一个人，回到家里会是这个样子？"

一个朋友劝解她，"或许正是因为在外面压抑得太狠，才需要释放。你只是命不好，成为了他唯一一条可以宣泄的渠道。"

她擦着眼泪频频点头。

我们不胜唏嘘。只能用"遇人不淑"和"知人知面不知心"来劝慰她。

每年春节我都会回家小住几天，刚回家时母亲欢天喜地，时间一久便会抱怨。

"三十岁的人了，怎么还赖床，叫你几遍都不起。还有，看我做饭烧菜也不帮忙，吃得比谁都多，连碗都不洗。"

奇怪的是，我脾气也变得糟糕透顶。在外工作时的冷静理性荡然无存。

"你不要唠叨我！让我多睡一会儿又能怎样！烦不烦啊！"我拿枕头蒙住脑袋。

母亲很伤心："明明听你给别人打电话时都那么亲和，有说有笑，又能理解别人，怎么对妈妈这个态度？"

我也不知道自己是怎么回事。

事实上，并不是我们想要对自己最亲的人苛刻，而是回到这个亲切得犹如骨血的环境里，自然而然就犯懒松懈。我们随心所欲地抛开所有伪装面具，丝毫不想加以掩饰，所有恶劣的本性都暴露无遗。

被偏爱的都有恃无恐。潜意识知道他们是你最亲的人，无论如何都不会伤害你，不管对他们说出怎样过分的话，也不会离你而去。你在他们面前，永远可以做霸道专横的小孩子。

读过一句话：人们对陌生人很宽容，对身边的人却很苛刻，要是反过来，就世界太平了。

于是我抱住母亲撒娇并道歉：

"妈，对不起，只是你想想，这一年我都为自己做家务，每一天都要早起奔波，这么辛苦。过年回家几天，难道还不能全心全意依赖你一次吗？"

她忍不住笑起来，再不说我懒惰可恶，高高兴兴地去做饭刷碗。

据说目前中国有超过 2600 万人患有不同程度的抑郁症，工作的压力、高考的门槛、父母的期望、老板的刻薄吝啬、同事的勾心斗角、爱人的冷情背叛、孩子的堕落学坏……从小到大，国人一直绷紧的神经没有丝毫松懈的时候，沉重的心理负担与无法抒发的压抑，直接导致抑郁症盛行。

可能很多人认为，2600万人对于拥有13亿人口的中国而言，只占总人口的5%，微乎其微。然而据心理医生分析，国内目前90%的抑郁症患者并未意识到自己患有抑郁症，也就是说，一旦确诊，也就到了非常严重的程度。

倾诉与排解，成为现代人亟须的出口。

四十多年前，法国就出现了"发泄餐厅"，吸引大量名人光顾，生意非常红火。英国有帮助人平复心情的"情绪产品"，日本有减压的"岩盘浴"、"减压音乐吧"、"缝纫俱乐部"，菲律宾有"出气墙"。

国内也有类似的地方。长沙有个很有趣的老板，在自己的餐馆专门搞了个"员工发泄室"。厚厚的垫子上贴上自己的照片，任员工捶打。老板接受采访时说：搞服务业的总会受顾客的气，给员工一间"发泄屋"，有利于大家更好地放松心态，开展工作。

微博上最红的ID之一，叫"说给树洞"。无数男男女女匿名投稿，写给树洞自己的私密心思，大多是感情或生活上的泄愤。哀怨者有之，破口大骂者有之。

其中不乏"他现在好像对我们只剩抚养义务了，每天只有在家吃早饭那一小时出现！一到周末节假日就失踪。他以前出过轨，所以现在我已经麻木了！真心想离婚啊！可怜孩子还小需要爸爸啊！"

"对个同性恋一见钟情我想我是疯了吧。"

"树洞啊，我怀孕了，可是我不能要这个宝宝。我好难过。XXX就是个贱人！我祝他早死早超生！而且我要一个人去做这种事情，好害怕医院……"

种种吐槽，不一而足。

这是网络的最大好处，没有人知道 ID 背后的真实身份是谁，于是每个人都放肆地展现自己最真实的内心。每一篇都似一个精彩的浓缩人生，围观者甚众。又有大量的人在这些故事里找到似曾相识的自己，或流泪跟帖或破口大骂，也是另一种发泄的方式。

看过一支获过大奖的 MV，梁静茹的《崇拜》，导演周格泰拍摄，讲述一个年轻的女孩爱上白发苍苍老人的故事。里面有一个镜头令人记忆犹新，女主角将嘴唇靠近一个墙壁上的洞喃喃低语，倾诉结束后，她离开那个洞口，洞口无声无息地流出一滴水。

那显然是在吐露心声后眼泪的意象。

连专职承担他人心事的树洞都不堪负荷，要以落泪来排解，人们脆弱一些也可以理解。

谁都有走不出去的困局，及时拨打场外求助热线，并不丢人。与知己畅饮，与闺密煲电话粥，在父母膝头大哭一场，或在爱人怀中寻求温暖。哪怕是深夜一通与电台 DJ 长聊的电话，也好过独自一人舔舐伤痕。

甜必入口，方知甘美；苦需出口，才得忘却。

谁不知求生艰难？终要给自己一条释放的渠道，水倾杯空，才容得进新泉一盏。只是记得在释放自我之后，回首感恩那些曾一路引领你、倾听你、理解你的人。

因为在吸收你的压力时，他们亦有无处倾诉之苦。

问心有愧

若有一天闭目之时，你会不会想对那个人轻轻说一句：对不起。

去上摄影课，有一位新来的女士成为我的同桌。

"你为什么来学摄影？"我很好奇，因为她很漂亮，穿戴也有品位，一看就家境很好，在我的概念里，这样的女士应该去学绘画和插花，或者是烤一些小甜点来抓住老公的胃。

"为了纪念我的初恋男友。"这个答案让我露出一点惊讶的神色，她有点不好意思地笑笑。

"他特别喜欢摄影，用个傻瓜相机就能把我拍得特别漂亮。但是轮到我给他拍照的时候，不是拍掉半个头，就是拍虚了。他那时候常常笑着说，希望我有一天能学会摄影，给他也拍几张好照片。"

"那为什么会分手？"我好奇地问。

"家里不同意。"她轻轻叹息："他家庭条件很一般，家人不同意，而且那时我们年纪都太小。我还记得那是高考之前，下大雨，他在我家楼底下站了五个多小时，我听了我妈的话，一直咬牙没下去见他。结果他回家就发烧了，后来还引发了严重肺炎，没参加成高考，也再没上学，听说还落下了很严重的病根。"

她说得平静，我听着却很难受，"他恨死你了吧？"

"不知道，这个人从此就消失了。我不敢去找他，直到今天再也没有见过他。"她轻轻抚摸了一下手上的相机。

"这么多年过去了，我早就结婚生子，平日里也从不会提起这件事。可偏偏总是梦到他的脸。想到自己曾经在无意间害了一个人的前程，就会有一种说不出的滋味。那种刻骨铭心已经不是爱情，只是……觉得对不起他。"

一个男生要结婚了，我听说后很惊讶，因为我知道他是同性恋，以前的另一半是个学习成绩优异的阳光男孩，却不知为什么他会选择一场异性婚姻。

他对我说："没办法，家里逼得太紧了。我也下了决心结婚生子，对我太太忠诚，一辈子对她好。"

"那他呢？"我有些尴尬，却还是忍不住问。

他眼神一黯："是我的错……当初是我先苦追的他，把他掰弯了。现在我却离开了他……分手那天他倒也没怨我什么，好像早就料到了似的。就是说了一句话：'我这辈子是再也没办法喜欢女生了。'"

他用力地泄愤似的敲了敲自己的胸口："他妈的！我听了这句话是真难受，真难受！虽然我们都不后悔跟彼此在一起过，可的确是因为我，让一个这么好的男孩，从今往后要走一条那么难走的路。"

上大学时，有位男教授，他带了一个瘦瘦小小貌不出众的女助教。助教工作认真，尽心尽力，教授也很满意，两人合作多年，十分默契。

时间久了，大家也都看出这女生是暗恋这教授的，但两人之间绝无可能。教授也感觉到了，便暗示那女生可以去争取升讲师的机会，他也愿意帮助她。女生却坚决不同意。教授无奈，也不好强行安排什么，只得随她去了。

前年，教授忽然称遇见了对的女孩，要与她结婚了。我们大家都连声恭喜，只有那个已经三十五岁的助教女生连干了几杯酒，没吭一声。

在教授婚礼的前一天，那个女生突然从学校辞职，申请去了青海一处贫困偏远地区的希望小学做终身教职。我们知道这个消息后都十分吃惊，可她心意已决，说什么都劝不回了。

婚礼那天，酒至微醺时，有人提起那个助教，半开玩笑地问教授怎么看？

谁知半醉的他，忽然用手捂着脸，粗声粗气地哭了："我真的没办法爱上她，可我却耽误了她一生。我这辈子最对不起的人，是她。"

参加一场葬礼，旁边一个女孩忽然蹲在地上哭得难以自控。

我们以为她是失去亲人，悲伤难抑。后来把她扶到休息处，她断断续续给我们倾诉，才知道去世的人是她的外婆。

十年前，她与身体健康的外婆一起去旅游，行至一片湖泊，见到游船漂亮，吵着想坐。外婆拗不过她，又舍不得花双份船费，就买了一张船票，叮嘱她坐一圈就好，见到下船的就跟着人流回来。

谁知那船是先抵达一个小岛，停靠一次再回返。女孩年纪尚小，根本分不清哪里是出发点，糊里糊涂就跟着游人们上了岛。等到反应过来时游船已经开走，好在有好心的游客把她送上了下一班船，才得以顺利回返。

然而，在岸边等候的外婆没见到她从船上下来，当即腿都软了，瘫坐在地上，根本搀扶不动。她哭着求游客帮忙，把外婆送进了医院，诊断是脑血栓引发了全身瘫痪。

从此外婆整整瘫在床上八年，直到今年才去世。

女孩声音哽咽，"出事那阵子我年龄小，不懂事，只觉得她瘫痪流口水的样子好可怕。家人虽没说什么，但他们看着我的目光，仿佛我是一手酿成这事的罪魁祸首。我受不住，只觉得委屈，于是这十年来，去探望她的次数越来越少，最后干脆连节日都不去了。"

她看着不远处静静躺着的外婆的遗体，泪眼模糊。

"直到前些日子，我生了一场大病，在床上躺了很多天，忽然就明白了外婆的痛苦。她曾经是那么爱说爱笑爱走动的一个人，却整整八年动弹不得，连翻身都要人帮忙。她心里该有多少委屈？可是我这个当年她最宠爱的外孙女，造成她这八年痛苦的人，却几乎没去看过她。"

我们安慰她，"没事的，当年并不是有意酿成的错误，何况你心里也承受着压力，这不算你的错。"

她泪眼模糊，"也许外婆活着，也会这样说。可我……问心有愧。"

《圣经》中有这样一个故事，文士和法利赛人带着一个行淫时被拿的妇人来，叫她站在当中，就对耶稣说："夫子，这妇人是正行淫之时被拿的。摩西在律法上吩咐我们，把这样的妇人用石头打死，你说该把她怎么样呢？"

耶稣对他们说："你们中间谁是没有罪的，谁就可以先拿石头打她！"

在场的人听见这话，面面相觑，然后沉默，最终一个一个地走了出去。

那妇人终于活了下来。

我常想，人这一生，到底做过多少"亏心事"。

那些有意的、无意的，却成为另一个人命运转折的事情。

年少轻狂，放肆时光，顺手把锋利的刀刃捅进对方的心里却懵然不知，还笑眯眯自顾自游戏。直到时光逝去，人渐年长，自己也曾在世间跌宕，遇见过形形色色的人，受过同样的伤，才知道当年的自己多么莽撞愚蠢，出手狠辣，当初伤过的那个人是怎样的痛不欲生，又是因为对自己怎样的爱，才能生生忍下那种痛。

若有一天闭目之时，你会不会想对那个人轻轻说一句：对不起。

陈奕迅唱：年少率性害惨你 / 令人受伤滋味难保更可悲 / 这心地再善良 / 终生怎去向你说对不起 / 良心有愧 / 原来随便错手可毁了人一世。

有谁敢拍着胸口说从来问心无愧？有谁永不言悔？

那么他真的幸福，也是真的虚伪。

一杯水，补给眼泪

要是连眼泪都干了，你就真的一无所有了。

我始终记得这句话。

绝望是什么样子的？

一场失败的考试，父母的责怪，失望的脸色，躲到厕所里偷偷的哭泣。

职场失利，被老板大骂，被同事嘲讽，还要强撑着微笑。

生意失败，不名一文，站在楼顶上觉得随时可以结束惨淡的生命。

被爱人背叛，分手时才发现家中财产全被转移一空。

……

每一件，在当时看来都足以令人崩溃，都让人觉得，下一秒几乎就挨不下去了。

那么，还记得吗？

最终是为什么会扛过来的？

我人生最灰暗的阶段，是几年前在工作中遇见的一场挫折。

那场挫折当时几乎将我打垮，真的觉得自己失败透顶，身陷绝境。

多年的付出被否定，职位被突然撤换，同事处处设绊子，朋友的不信任，老板的敷衍，客户一夜之间仿佛从未认识过你这个人，连家人也无法理解，还常常语出苛责。

那段时间，我经常在乘车的时候面无表情地看着窗外的风景，然后毫无预兆地，眼泪就会唰唰地流下来，无论如何也控制不住。

深夜在自己家楼下的小花园里一圈一圈地走，不知疲惫，觉得心中憋闷，只想放声大吼一场。

无论多么蓝的天，看起来都是灰暗的。

某天我实在忍不下公司的氛围，就抱着笔记本去楼下的咖啡厅办公。

心情刚刚略微好些，一个短信进来了，内容是关于我的工作。发送短信的是我曾经关系最好的客户朋友，此刻她言辞冰冷，公事公办地告诉我，合作取消了。我盯着那条短信，刚刚积攒起来的一点好心情在一瞬间烟消云散。

正巧咖啡厅放到那首《Yesterday Once More》（《昨日重现》），音乐顿时成了催化剂。我鼻子一酸，眼泪噼里啪啦就落在了电脑上。

我越想越难受，实在忍不住委屈，索性伏在桌子上哭起来。还不敢发出太大的声音，生怕惊扰到其他人。

我哭了很久，只觉得天昏地暗日月无光，身上无力。

直到有人碰了碰我。

我以为是服务员，暗气这人当真没眼色，也不管自己满脸泪痕，抬起眼就恶狠狠盯着对方。谁知居然是坐在邻桌的一个陌生男人。

见我盯着他，他推过来一杯热茶。

"喝口水，补充点儿眼泪。"

我有点茫然地看着他，完全愣住了。

他笑了笑："天大的事儿，都没有自己的身体重要。要是连眼泪都干了，你就真的一无所有了。"

在那之后，我也不止一次遇见很多困窘的、伤心的、压抑的时刻，也仍然控制不住，不止一次大哭。可每次哭过，我都不会忘记给自己倒一杯温水，强迫自己喝下去。

要是连眼泪都干了，你就真的一无所有了。

我始终记得这句话。

有一位朋友，她是一名销售主管，也是所有人眼中的"女强人"。

我们经常说她是酒国巾帼。一桌子男男女女对饮，她从不扭捏，该喝就喝，并且会在酒桌上把她的问题立竿见影地解决。

最可怕的是，这个女人已经快四十岁了，身体机能却依然很棒，饮酒海量，胃肠却从不出问题。

我问她保养秘籍，她哈哈一笑，说哪有什么秘籍，都是最简单的保养。我只是明白一个道理，即使再拼，也要给自己留一条退路。每次喝酒前，都喝一大杯酸奶，吃保护肠胃的补品，喝酒后及时喝自酿的醒酒汤，尽量让自己保持着清醒和"不吐"，身体自然不会过多受损。

"绝不掏空自己，健康地活着，是成功的唯一前提。"她说。

做记者的时候，某次去广州某部队采访一位教官。

见到他的时候，他正在训练场上教授新兵自由搏击的要领。几名新兵两两一组，打得难分难舍。其中有个小个子很快吸引了我的注意力，他因为个子矮，力气弱，往往拼尽全力想要打对方一拳，却被对方轻松躲过，此后就被一直压着打，毫无还手之力。

正看得入神，那位教官却叫了停，向那个小个子走了过去。我们都以为他大概是要教那个小个子如何出手打击对方，谁知他低下身子，教起他如何逃脱及闪避开来。

那个小个子显然觉得教官是瞧不起自己，脸色颇不好看。

我们也有些不解。直到课后讲评，那位教官特意提起这件事。

他说："我之所以只对他讲解如何逃脱，是希望他先学会如何自保。"

"任何时候在战场上拼杀，都要懂得，自己安全才最重要。这样才能有充分的机会去寻找敌人的破绽，再出手致命一击。这是战无不胜的唯一诀窍。"

"人要是先倒下，就什么都没了，对吧？"他说。

每天早睡早起，避免熬夜和狂欢，吃健康的饮食，喝干净的水。

尽量少吸烟或不吸烟，不过量饮酒，减少与人争执，少动气。

不过度接听电话，如果真的避免不了，尽量使用耳机。

有再急的事情，都要想一想，自己的身体是否承受得了，是否真的需要立刻去处理，是否可以缓一缓，有没有过度伤害到自己的生活。

因公猝死的事情在这座忙乱的城市里时常上演，各色悲欢离合牢牢控制着我们的情绪波动。在这个人人自危的环境中，我们只能先学自保，再谈进取。

当然，无论你多么从容镇定，运筹帷幄，也不能避免预想不到的插曲突然干扰你的生活。在这些不和谐的音符中，你也许会痛苦，会烦恼，会焦躁，甚至想要痛哭一场。

那么我亲爱的朋友，你自然有发泄与释放情绪的权利。只是不要忘记，在大哭之余，"喝口水，补充点儿眼泪"。

抒解开那条紧绷的神经，深深地呼吸一口新鲜空气，告诉自己，放松，再放松。不要把自己陷入绝境。

这样，人生才有再度翻盘的可能。

要知道，没有谁比你，更爱你自己。

在伤言伤

伤痛最好的意义，在于知道了痛的滋味，
终于明白不要让别人和自己一样痛。

我的一位长辈，前半生坎坷不断。先是父母双亡，然后家中火灾，财物损失大半，后来好不容易结婚，妻子又有了外遇，离婚，孩子却在一场球赛中意外摔断了腿。那段时间他仿佛一下子老了十几岁，我们听说后也唏嘘不已。

最近见他，我问他最近在做些什么？他说在做心理医生。

我有些吃惊，支吾几句，却又不好意思问得太清楚。但心里却划了一堆问号。虽然他是医科毕业，但……

他却看出了我的心思，主动解释："你是不是觉得，我的经历不太适合做心理医生？连自己的生活都这么失败，怎么有资格帮别人去理顺生活？"

我不好意思地点点头。

"其实不然，"他笑了笑："我的病人都很信任我，因为无论他们倾诉怎样痛苦的故事，我都会理解那种痛苦。并且由于我的经历，他们都认为我够丰富，够成熟，我所教给他们的放松与释放的方式，也更容易接受。"

"只有受过伤的人，才最懂别人的伤啊。"

有个男孩子，生得不帅，学习不好，说话还有些结巴，从上学期间追女生就一直被拒绝，最有意思的是他还锲而不舍地换着对象追求，屡战屡败，屡败屡战。同学们笑他是现实版的樱木花道，永远处于失恋中。

毕业多年后聚会，最令同学们大跌眼镜的是——他居然做了一位情感专栏作家。

大家哈哈大笑说你小子还谈情感？还专栏？

他推推眼镜，说，你们别笑。你们都是谈个一两次恋爱就修成正果，要论成功的经验，我真不如你们；可要论失败的经验，你们谁有我多？

众人都不说话了。他又说：你们的故事写出来，只有相同经历的人爱看。我却能给无数人写他们的故事，因为我就像尝遍百草的神农，因为我是每一个他们。

在一个偏远的村子里，有个人被蛇咬伤了，一个路过的女人发现了他，在缺医少药且送医路程遥远的情况下，女人居然动作娴熟地处理了伤口，并且在送到医院后，清晰地告知医生这是什么蛇毒，应该采取怎样的治疗方式，十分专业。

医生大为惊讶，经询问后才知道，原来这个女人的孩子曾被蛇咬伤，因为处理不当而夭折，全家悲痛不已。从此她也落下了一种"病根"，只要遇见蛇毒的问题就加倍留心，甚至自学了几本民间医书。医生问了她一些解毒的问题，有些方法闻所未闻却简单灵验，让医生也大受启发。

如果她不曾经历丧子之痛，路人不会得救，医生也不会学到更多的实用方法，拯救更多的生命。

他人的鲜血淋漓，都不如自己手指上一丝擦伤来得刻骨铭心。要想真正体谅别人的痛，必然自己也受过同样的痛。否则同情只是慈悲，而非感同身受，更难设身处地为他人真正打算。

认识一位网络名人，思维敏捷，小有名气，也算半个意见领袖。

一段时间没见，某次饭局上重逢，我们忽然觉得他宽容了很多。以前的毒舌抨击减少了。相反，当我们说起某某名人的负面新闻，或者网络上的最新围剿对象时，他居然会帮那些以往他很不喜欢的人去辩解几句："也许他也有不得已的苦衷"；"其实我们去做也未必会比他做得更好"；"不喜欢可以不看，何必去攻击他呢"……

我们纷纷笑他"转性了"。后来才知道，前段时间这位朋友开了微博，一开始由于言辞犀利颇受众粉丝推崇，自己也洋洋自得。然而在几次论战中，由于嘴下太不留情，开始被各方攻击。起初他还乐在其中，逐一反驳，时间久了，他终于发现这是一片无法自拔的泥沼。

他开始为那些不理解他、骂他、甚至侮辱他和家人的语言暴力而烦恼痛苦。有些事情无法解释，有些事情即使解释了也没人信，这种憋闷又压抑的感觉令他的发言越来越少，最终关闭了微博。

"我反思了以前的做法，终于懂得宽容和体谅。没有这一场，我学不会设身处地，将心比心。"

"中过枪，你才不会再对别人轻易举起枪口。"他说。

在伤言伤。受过伤的人才最有发言权。不但懂得急救措施，还会"久病成良医"。

伤痛最好的意义，在于知道了痛的滋味，终于明白不要让别人和自己一样痛。

每欲冲动，想起曾经的血肉模糊，激灵灵打个寒战，立时安稳冷静下来。

最好不过如此。

少一点莽撞，少一份误伤，也就少了一处永难磨灭的疤痕。

幸好我们，当局者迷

最大的绝望不是身在痛苦中，
而是看透了自己的痛苦。

深冬时节，与几位朋友到贫困山区的希望小学去捐赠。那里的孩子们很可爱，但是生活得很苦。他们每天早上要走十几里的山路上学，甚至还要穿越一条长长山涧上的独木桥，整个人悬在空中，只有两条绳子做把手，绳子上的冰霜层层叠叠，看起来危险万分。

与我们同去的有一位博士，他正是出生在这个小山村。后来因成绩优秀被某一流大学录取，从此鱼跃龙门，成为村中孩子的榜样。

我很好奇地问他，当初那么艰难，是怎么熬过来的。

他摇头，说那时的他，并不觉得苦。

"有什么苦的？周围的一切都习惯成自然了。我要走十几里路去上学，别人也不曾少走一步；过独木桥胆战心惊，可是过多几次也就习惯了；冬天的确很冷，可是大家都没有棉鞋穿，甚至还会比比谁的脚上生的冻疮最多，嘻嘻哈哈的特别开心……"

说到这里，博士紧了紧身上厚厚的名牌羽绒服，自嘲地一笑："现在我可是受不了这里的寒气了，独木桥也是一定不敢走的。我只是庆幸，还好当年的我不知繁华，不懂温饱，当局者迷，倒也过得心安理得，没有什么不快乐。"

一个男孩追一个女孩追了很多年，百依百顺，献尽殷勤，即使女孩一再拒绝，甚至做了一些很过分的事情来伤害他，他也总是一副无怨无悔的样子，甚至说出"她捅我千百刀，我都舍不得瞪她一眼"这样的话。

就是这样的一个"痴情种子"，某一天，他毫无预兆地放手了，不追了。

我们都很惊讶，问了几次，他才说出原因：原来他也遇见了一个追他的女孩。大约是老天乐于给他"补偿"，那女孩几乎把他曾为另一个人所做的一切都做了一遍，痴心不悔，执着投入，哪怕他骂她、赶她、嫌弃她，她依然在他身边默默付出着。

我们都以为他被那女孩感动所以才放弃追求前者，他却否认了。

"我不爱她，我甚至恨她。因为我在她的身上完整地看到了那个苦苦追逐、卑微犯贱的我，如果没有她做镜子，我不会知道原来我这么可怜可笑。"

最大的绝望不是身在痛苦中，而是看透了自己的痛苦。

如果他不曾看透，依然会长久地沉浸在迷恋中。而当一切如镜、无处遁匿时，后悔、羞愧、失落甚至恨意接踵而来。

只是无人知道，究竟是沉于迷局中的他更快乐，还是通透的他才会获得最终的幸福。

在我写的一部长篇维和报告文学中，曾记录过一个"弹墙与舞者"的故事。

海地共和国，世界上最贫穷的国家之一。酷热、缺水、污染严重、治安极差，枪击、绑架、杀人事件层出不穷，需要多国维和。

在海地，有一堵小有名气的墙。墙本身没有什么特别的地方，但是由于经历了太多次的枪战，因此墙上布满了密密麻麻的弹孔，所以人们给它起了个名字，叫"弹墙"。墙下面鱼龙混杂，有叫卖的商贩和发呆的乞丐，还有为了争一小块地皮打得头破血流的地痞流氓……但是最特别的是一个很瘦的黑人，他每天会带一个破音响来到弹墙下，摆弄几下，放出刺耳的音乐，甚至听不清歌里唱的是什么，然后那个男人就随着音乐声起舞，一直跳到夕阳落山才收起音响走远。

他衣衫褴褛，没有一双好鞋子，有时甚至根本不穿鞋子。在海地那种连"土"都能被拿来当食物的地方，显然他也根本吃不饱，瘦得连肋骨都可以看清楚。没人见他工作过，也不知道他住在什么地方，似乎他每一天的使命就是来到弹墙下不停地跳舞。

偶尔有人经过弹墙，看到舞者时，也会停下脚步欣赏一会儿。也有人会放下头顶的东西，与他一起跳上一段儿。在周围凌乱的争吵、斗殴与讨价还价中，舞者的舞蹈滑稽又平静，却又与一切融为一体。

然而，就在所有人都已经习惯了舞者表演的时候，他却不见了。人们等了很久，那熟悉的舞姿却再也没有出现。舞者死了，死因是长期营养不良和艾滋病。他一生未婚，只把那台音响留给了他的侄儿，他的侄儿偶尔还会来到弹墙下，用那台破音响放起音乐，跳起一段舞，仿佛是对他叔叔的怀念与祭奠。

对我讲起这个故事的维和战士是个很年轻的男孩子。自始至终，他的眼睛里都带着伤感与迷茫。他对我说："在那个贫穷又险恶的国度里，像舞者一样的海地人还有很多很多。每年的康巴音乐节，几千人的体育场中可以挤进几万人，他们闻乐起舞，笑容满面，仿佛音乐就是上帝，只要唱着跳着，就有一切美好的未来。"

他问我，你说，他们是真的快乐吗？

我说："是的。"

太阳依然耀眼，空气依然浑浊，肚子依然吃不饱。那又有什么关系？因为从未享受过清澈的雨水，清新的空气和美味的食物，也就不知道拥有的饱足感。

不曾感知过的快乐根本不能算快乐，对于海地人来说，可以感知的快乐莫过于音乐所带来的憧憬与沉醉，唯此而已。从这一点上来说，舞者们是悲哀的，却又是幸福的。

你不得不感慨人类的适应性，他们沉浸在"局"中，并迅速"沉迷"上某个兴奋点，以此来做为灵魂救赎。当然，这样做并不能抵御多少环境与肉体上的伤痛，但至少不用再给自己的精神世界来上致命一刀。那些得以保全的微不足道的胜利，在盛大的臆想中，成就了另一种意义上的完美人生。

绝大多数时间，并非我们没有能力从"局"中清醒，而是甘愿不能自拔。

有一天，拖着沉重的腿，从泥泞中跋涉而出。回首望去，才猛然发现纠缠其中的世界居然如此晦暗凛冽。那么，我们应是后悔当初的不明是非、不辨优劣，还是庆幸自己曾经的混沌迷糊、自得其乐？

谁不愿少受一点锥心之伤。世界已经如此艰难，有些事情又何必拆穿？

不是每个人，都有能力脱身而出。

更不是每个人，都愿意接受"旁观者清"的痛苦。

最好的反思

迟到太久不必到

有些东西来得太晚了，并不一定没有它存在的意义。

只是，我不想要了。

当年参加高考，见过很触目惊心的一幕。

那天下午答完卷纸出考场时，发现一位考生晕在地上，父母在旁边呼天抢地。问过路人才知道，原来是这位考生迟到了半个小时，哀求监考老师让他进去，监考老师却不为所动，说了一句："迟了太久，就不必到了。"考生最后扑通一声跪在地上，连连磕头，磕到头都破了，老师仍坚称绝不破例，拒不放行。考生最终晕倒在地，父母指责老师不通人情，痛哭大骂不已。

这件事始终存在于我的记忆中，至今想起那考生血肉模糊的额头仍觉得凄惨无比。我并不觉得那位老师做得有何错误，没有规矩不成方圆，他只是履行职责而已。如果他一时心软，是对千千万万按时抵达的考生，所给予的最大不公。

高考是人生大事，想来那一次迟到虽不至改变那位磕头考生的命运，却也必然影响甚大。不知道这一场教训，是否让他铭记终生。

后来工作，关于"迟到"的话题更是每天上演。北京是名副其实的"堵城"，朋友聚会、工作见人大多会因为交通问题而迟到，我不算苛刻的人，每次哪怕自己早到也愿意多等一会儿并无怨言。

然而只有一种情况我会变身成"绝不通融"的铁面人——应聘的迟到。

曾有一位各方面条件都不错的应聘者，却比约定好的时间整整迟到了一个小时。那天我微笑着听他讲完他的工作经历，然后把他送走，在简历上写下一行红色的备注。

我给人事部门的反馈是：连自己最重要的事情都可以迟到，公司将无法把工作放心交托。

明知今天是关键行程，交通可能会出现拥堵，就该做好准备，早早出门。临到最后才发现时间晚了，不停道歉，气喘吁吁地奔跑……对不起，这不会得到同情。

如果分不清轻重缓急，说明你根本还没有成熟到可以合理分配自己的时间，更难以在这个残酷社会立足。

迟到与否，不仅仅是体现细心与认真，更重要的是体现一个人的责任感。

电影《肖申克的救赎》中，老犯人布鲁克斯在肖申克监狱中被关押了 50 年，一直担任图书管理员。然而，当他得知自己马上要刑满释放时，他不但没有欣喜若狂，却开始惊慌失措，因为他已经完全习惯了监狱体制化的生活，他对于外面的世界一无所知，充满恐惧。

为了不离开监狱，老布先是举刀杀人，以求得在监狱中继续服刑。然而最终他依然被放出监狱。

他入狱时只见过一两辆汽车，出狱时满大街却都是汽车，他在一家小超市工作，老板看不起他，他也做不好。他怀念在监狱里的生活，受人尊敬，生活稳定。最终他写了封信给狱友们，说宁可拿枪打劫也希望回到监狱，可是自己太老了，已经做不了这种事了。

他写：希望监狱不要再放出像我这么老的人。

他最终选择在小旅馆里自尽，在房梁上刻下最终的遗言：BROOKS WAS HERE（布鲁克斯来过这里）。

自由来得太迟了，迟得已经没有来临的必要。强制性的来临，只会带来崩溃的结局。

某天看电视，看到一位弃婴在孤儿院长大成人后与亲生父母相遇。亲生父母接受访问时声泪俱下，称当年是因为家境贫寒，万般无奈才放弃了孩子，现在经济条件好了，希望可以找回孩子，补偿孩子。

镜头一转，那位已经生出青色胡茬儿的小伙子一脸漠然。记者问他：你愿意与父母相认吗？他点点头：愿意。记者又问：那你愿意跟他们回家吗？他说：不愿意。

记者问他为什么，他说：好多年以前我期待过跟他们相认，有一个属于自己的家。这个念头在我的心里想了太久太久，几乎每天都要想一遍，想起来就想哭。可是特奇怪，想着想着吧，这个念头居然就渐渐淡了，而且越来越麻木。到最后，我自己也不觉得这是多大个事了。

他摇摇头：我现在觉得自己就这么自由自在，没爹妈管着，也挺好的。如果他们再来照顾我，我还真不习惯，所以还是算了吧。

记者追问：那你是在恨他们吗？

他笑了一下：以前有过，现在确实是真没有了。没有爱哪来的恨？我就是觉得，有些东西来得太晚了，并不一定没有它存在的意义，只是，我不想要了。

一杯热腾腾的茶，放到凉透，再喝已没有必要，只会伤身。

一件加厚的外衣，穿得太晚，寒气已经侵入体内，感冒无法避免。

儿女的孝顺，在父母仙游以后才体现，那是失德与伪善。

朋友的关怀，在事过境迁后再开口，只会得到礼貌的回应，很难得到知己的情谊，交心的温暖。

爱情的表白，在罗敷有夫之后再开口，要么是甘当见不得光的小三，要么也只能留下"恨不相逢未嫁时"的遗憾。

当年监考老师的一句话，却是道出了真理。迟得太久，不必到了。

迟到，本身就说明了缘分不足与欠缺付出，无论是前者还是后者，都不该再续前缘。你若真在乎，必然早早追求，早早拥有，怎会等到对方心已死，情已逝，才迟迟到来。

在某场人生约会时，如果又一次迟到，只能说明从未重视。即使"到"了，也无法抵消"迟"的负作用。

请问问自己的心，是真的需要这场相逢吗？还是下一次才值得严阵以待，准时出现？

不曾重视的相约，失去时莫道遗憾。

一只叫"时间"的替罪羊

时间很无辜，时间很平静，它一视同仁，它静静流淌。

电视上播报一则新闻：一个五十多岁的男人，父母重病多年，他却中途停止抚养，也声称不再承担医药费。

事情披露后，社会各界纷纷对其进行谴责。记者前去采访，这个男人先是凶蛮地抗拒，然而当记者追问"为什么你不赡养父母"时，出人意料地，男人忽然一屁股坐在地上，一把鼻涕一把泪地号啕起来……

"我都已经坚持了十年了，这病养不好，也没个头儿，难道我要赔上一辈子吗？久病床前无孝子！你们都是站着说话不腰疼，谁能坚持得比我时间长？"

不会有人来与他比较时间长短，因为他忽略了一点，这是他的责任，而不是其他人的。

人生漫漫，谁都有自己的专属苦难。你可以因为熬不过去而大放悲声，也可以双膝一软选择求助他人。只是为了推卸责任而声称"时间太长"，实在是找了一只最无水准的替罪羊。

深夜接到一位朋友的越洋电话，讲述失恋故事。

朋友当年与男友一同出国留学，两人家境都一般，男友成绩略好，朋友为了维持男友学业，不惜先行休学，打工赚钱供男友读书。她冬天在快餐店洗盘子，夏天在酒吧里卖酒，苦苦熬了四年，终于熬到男友学业有成。满心欢喜与憧憬地等着梦想中的婚礼，却等来了分手的消息。对方给的理由是：日子太久，我与你像亲人，没有爱情了。

朋友痛哭失声，说难道在时间面前，不管多么刻骨铭心的爱情都会终结吗？

我说傻瓜，这关时间什么事？时间躺着也中枪。这样一场失败的感情，除了说明你所爱非人以外，还能说明什么呢？

不过是想打发旧人另拥新人，"时间"二字，无疑是简单又富有诗意的挡箭牌。却被可怜的女孩当成救命稻草，以为只要战胜了时针分针，就可旧情复炽。

爱哪有期限可言，对方只是想时时拥有激情而已。

我给她讲起，另一位遭遇劈腿的朋友曾经怒斥男友的话。

"什么叫'我们的爱败给时间'？除了时间，败给什么都行。钱我可以赚，知识我可以积累，品位我可以提升，距离我可以拉近，就别拿时间说事儿！你无非是想找一个看不见摸不着、无法打倒的敌人。你偷偷藏在这敌人身后装弱小，其实就一句话：不想负责任了！"

多么酣畅淋漓。

朋友依然难以释怀，她哽咽着问我："那我要怎么办呢？我已经在他身上浪费了那么多时间，现在怎么可能放手？"

我听得无奈。

怎么都跟时间过不去。其实时间压根儿没有在意任何人。

我劝她，最好的办法是打一场官司把钱讨回来，再找一个好男人重新开始。钱可以回来，感情可以回来，青春却永远都回不来。

因为"浪费了太多时间"而"不舍得放下"的人太多，到头来却都怪在时间的头上。却从没想过，舍不得的根本不是时间，而是舍不得自己曾经的付出，舍不得放弃那一丝仅存的稀薄的可能性。

说实话，时间没有找你讨债，骂你亏待了珍贵的它，已算不薄。

曾经认识一位颇具"个性"的同事，他几乎没有朋友知己。究其原因，是因为其脾气火暴，经常与人发生争执，说话又不留余地，往往得罪到双方老死不相往来。

曾有人劝说他凡事留一线，日后好相见。他却不以为然，认为"人无千日好，花无百日红"，人与人之间的分裂是自然而然的，是因为相处日久，矛盾激化，自然会分道扬镳。

"如果不是这样，那怎么会有'七年之痒'呢？"他辩解道："为什么要经营所谓的人际关系？旧的不去，新的不来，自然更替，很正常。"

这位同事后来从公司离职，又换了几次工作，因为业内口碑不好，也就一直不曾稳定下来。过了几年，离了婚。最潦倒时，四处求借无门，无一人愿伸出援手，只好回了老家，从此杳无音讯。

人与人之间的情谊，固然不一定天长地久，花好月圆。然而就此破罐子破摔，任性妄为，我行我素，把人际关系经营成一笔烂帐，却是最大的失败。

日益沉默的双方，也许是没有了共同的有趣话题；渐行渐远的两人，也许是忘记经营相处的氛围；分道扬镳的挚友，只因不愿开诚布公地敞开心房；相互敌视的仇人，可能曾被一句话刺痛最柔软处……无论如何，众叛亲离或众星拱月，只有性格决定命运。

是非难辩，却归罪于时间。

令狐冲在思过崖面壁仅仅半载，深爱的小师妹便琵琶别抱，换了人间。

小龙女跳下断肠崖整整十六年，杨过依然苦苦守候，无怨无悔。

胡兰成离开张爱玲不足一年，就有了"不做妾"的小周，后来又有了范秀美。终究换来了张爱玲的那一句"我将只是萎谢了"。

钱钟书谈爱妻杨绛：我见到她之前，从未想到要结婚；我娶了她几十年，从未后悔娶她；也未想过要娶别的女人。

这世情如潮水，时涨时落，却永不断绝。

你有七年之痒，我也有十年生死两茫茫，不思量，自难忘。

幸好有了杨过或钱钟书，才终于得以平反——时间从来都不是冷漠、放弃和背叛至亲至爱之人的原因。尽管"天长地久有时尽"，也可以"此情绵绵无绝期"。

光阴漫长，抵不过离心离德，无情无义，前尘尽忘。

后者才是正牌理由，前者只是故作优雅的借口。

时间很无辜，时间很平静。它一视同仁，它静静流淌。所有一塌糊涂的情感，只是微不足道的稀薄泡沫。岁月长河滚滚奔涌，从不考虑那些匆匆而过的结局，究竟是悄悄蒸发，还是永远地消亡。

分辨不出，愿赌服输

一个人连辨别好坏的能力都没有，只是盲目轻信大牌，
那永远只能邯郸学步，怎么能放心把好的东西交给他？

一对情侣分手了。

男生对朋友讲："总算分了。我一直看她不顺眼，只知道工作，饭菜不好好做，家事也料理得一般。最重要的是，每天邋里邋遢，真不知道当初为什么会想跟她在一起。"

事隔两年，朋友居然在商场购物时偶遇那个女生。

乍见之下朋友几乎没认出她来。神清气爽，明眸皓齿，一袭红裙，扎一个利索的马尾，美得回头率接近百分百，哪是形容中的"邋遢"模样。

朋友问起她最近在做什么。她笑说新男友对她很好，因为男友生意做得比较大，家里不缺钱。所以她也把工作辞了，在家里做做菜、插插花。

她还拿出手机给朋友看她做的甜品照片与插花作业，几乎与专业人士一般无二，令人惊叹。

朋友说起男生当初分手时对她的形容，忍不住感慨："他人之言不可信。"

她笑容渐淡，沉默了一会儿，说："其实他说的并没错，那时的我的确是那个样子的。只是我太爱他了。他赚钱不多，我就只好拼命上班贴补他，当然没时间烧饭做菜搞家事，更没心情打理自己。不过也好，离开了他，终于找回了真正的自己。"

她抬起头，阳光明媚地笑起来："我要感谢他，没有看清我，所以看轻了我。"

一个娱乐圈中的朋友讲了个有趣的段子。

某两位大牌艺人一直相互较劲，服装比着大牌，新闻比着头条，就连化妆师都要抢。其中一个听说另一个用了某某化妆师，立刻对经纪人说："去，把那个化妆师给我挖来，出多少钱都行，我以后只用他化妆。"

经纪人为难地说："可是……上周他来给你化妆，你说他没名气，连看都没看就把他赶出去了呀。"

讲这段子的友人也是个传奇人物。

她早年间不过是个小助理，勤勤恳恳，埋头苦干，连话都不多说一句。艺人也只视她为助理，让她端茶倒水，搬运行李，从不问她任何工作意见，不带她参加专业会议。每每旁人劝说几句，艺人就嗤之以鼻："她？一个新助理，小屁孩，懂什么？"

她在艺人拍戏间隙偷偷读了不少剧本，读得多了，也就生出了几分心思。她从小喜欢文学，熬了几个月的夜，居然也模仿着写了个本子。踌躇了好久，她终于鼓起勇气，拿到艺人面前，想让艺人看一看，给些意见。

结果艺人笑得前仰后合，"你还会写剧本？能看吗？可别浪费时间了！"她尴尬地站在那里，剧本在手中捏出了汗，看着对面的人随意翻了几页就扔还给她："好好干活吧，别胡思乱想了。"

她在两年后离职，不再做助理——她的剧本被买下了，改行做了编剧。

然后事业出奇地顺利，由于文风特别，角度新颖，她成为编剧界一匹黑马，连写几部热播剧集，后来又做了导演、制片人，在业内风生水起。

当年带的艺人来找过几次，希望上她的戏，她却从未合作过。

有人问过她为什么这么绝情。她解释道："这和感情色彩无关，只是纯粹从工作角度来分析——当初她不懂得分辨，那么今天她来找我，也只是盲目轻信大牌而已，本质依旧没变。这样的演员，永远只能邯郸学步，我怎么放心把本子交给她演呢？"

一位喜剧演员初次做电影导演，他拿着剧本和构思四处拉投资，吃尽了闭门羹。每一家都不愿意冒险投一分钱，哪怕他绘声绘色地演了一遍又一遍，每个人都依然抱着怀疑的态度。"你做演员还可以，导演，行吗？"

后来终于有了转机，朋友把他介绍给一位投资人。导演又了一遍，投资人被他幽默的表现逗笑了，说：好，我投。

再后来，这部电影以13亿票房创造了中国电影史上的神话。

电影的名字叫《泰囧》，导演徐铮，投资人王长田。

我们常常哀叹良将难得，良人难求。然而事实证明，"慧眼识珠"的本事，也许比珍珠本身都要重要，往往珍珠在面前，却也未必识得，错身而过。

在成功因素中，"分辨"的能力远远高于"遇见"的运气。

事业有成或婚姻幸福者，大多有着不错的分辨力。认清哪一种人是适合自己的，可以清晰看到对方不为人知的优势，剔除掉无伤大雅的缺点，并坚持选择，为己所用，才是伯乐所为。

正如前文那位编剧所说：一个人连辨别好坏的能力都没有，只是盲目轻信大牌，那永远只能邯郸学步，怎么放心把好的东西交给他？

分辨不出，愿赌服输。

擦不亮眼睛的人生，总是埋怨机遇错身而过，却不知道正是自己的一叶障目，自以为是，才永远错过那些稍纵即逝的成功选择。

拿剑上班的人

即使成不了高手，也不能把一把好剑用成烧火棍。

那样于人于剑，都是最大的悲哀。

亲爱的朋友，首先要感谢你今天请我去你的新公司做客。公司虽然不大，但五脏俱全，可以看出你对它倾注了全部的心思。最重要的是，它是梦想的开始。有梦想的人永远年轻，请允许我佩服你与祝福你。

你问我：对你的公司有什么样的看法。我并没有立即回答，因为我觉得有必要走走看看，然后思考一段时间，再给出答案。那么今天我想对你讲述的，是我观察到的一些细节和一些想法，仅供参考。

你的办公室宽敞明亮，装修得体，门窗的隔音质量很好。可是大概正因为是太好的缘故，你听不到门外两个女孩的嬉笑声，她们从指甲的颜色谈论到网店的促销，不亦乐乎。你走出门的时候，刚好她们聊得累了开始对着电脑敲文件，她们微笑着冲你打招呼，你也微笑致意。

然后你训斥了那个在旁边吃苹果的女孩，说上班怎么能吃东西呢？你没看到在你出来之前，她刚刚打过一个长长的电话，说得口干舌燥才成功帮公司做成一单大生意。

不要贸然对某一个员工下定义，你不知道的事多的是。观察日久，方见人心。

我们出门的时候，看到的那个在楼梯间哭泣的女孩，真的哭得很惨。你心软了，走过去问她发生了什么事。她抽噎着说是因为工作失误被主管骂，你安慰了她，又亲自把她送回工位，女孩破涕为笑，连声说谢谢老板。你也很高兴，可你大约没注意到，她主管尴尬的脸色。

"越权"不仅仅是下级对上级可能出现的问题，上级对下级也一样。

你自认体恤下属，却没想过挫折是每个人成长的必经之路。在你像她一样的年纪，你也蹲在楼梯间哭到上气不接下气，可是如果没有那样的你，也没有今天的你。

那位主管未必不这样考虑问题，只是你横插一刀的安慰，让她顿时陷入了两难的境地，仿佛父母教育孩子，祖母跑出来心啊肝啊的呼喝，孩子得意于逃过一劫，教育却就此失败。父母更是失却威信，不再有说服的底气。

再来谈谈你那天从牙买加带回的极品蓝山咖啡吧。一小杯香浓醇厚，酸味适度，配合午后的阳光，确是极品享受。可惜端咖啡进来的小秘书手脚太过毛躁，洒了一小半出去，还弄脏了我的牛仔裤。你当时就皱起眉头，小训了她几句，女孩的脸涨得通红，低着头出去了。

后来我出门去上卫生间，路过她的办公桌，她不在，电脑开着，我无意间看了一眼，居然发现她在写小说。我很好奇，就坐下来读了一段，出乎意料的是，她文风清新，构思奇巧，颇有几分文字功底。

我回来后对你提起，你却嗤之以鼻。说这个文秘一天到晚不务正业，连咖啡都端不好居然还有闲情写小说，就应开除为妙。

我却想起前些天你还在跟我抱怨，说缺少一个得力的文案专员。我说这个女孩不是刚好吗？你摇头，她？她才高中毕业，都没上过大学。再说，小说写得好不代表文案也写得好。

　　所谓识人之明，从来都不是在于循规蹈矩。写文案写得好的人不少，能写出好小说的人却不多。正如可以做好蛋炒饭的人不一定烧得出一桌盛宴，然而烧得出一桌盛宴的人，即使他的蛋炒饭没有那么精致，却也一定是强于常人的。

　　文凭论早已过时，不拘一格降人才这种话，在社会的每一个角落里被充分实践着。你又焉知那女孩没有考上大学不是因为阅读了太多的课外书籍？她的内心世界，是否比那些上过大学却连自己喜欢什么都不知道的人还要丰富精彩？我们眼中的"不务正业"，也许正是不为人知的特长与惊喜。

　　何妨给她一次尝试的机会，也许就此改变她的人生与你的事业，亦未可知。

　　至于谁来给你冲咖啡，不必着急。我在洗咖啡杯时，美丽的前台小姐正巧也在洗手，仅仅是闻到了杯里残余的咖啡香，她就用惊喜的表情看着我说："今天老板冲的又是蓝山？"然后我们探讨了一下煮咖啡的正确水温，以及口感的变化。我想，她最擅长的并不是在前台接电话，也许，她很乐于再增加一份与爱好相关的工作。

　　我旁听了一场你召开的公司会议，公司的几位高管都是外聘回来的精英，讲话引经据典，滔滔不绝。

　　然而连我这个外人都有所感觉——他们并不了解这个公司，更没有感情可言。他们所讲的都是在旧公司的经验；他们所希望的，是在这家新公司拿到更丰厚的薪水，得到更高的晋升；他们中间的大多数人，把这份工作，仅仅当作一份工作——这当然不是他们的错。这甚至不能算是错误，这只是一个打工者的正常想法而已。

因为他们并不是陪同你创业的那些人，你经历的那些坎坷他们未曾亲见，你四面楚歌时他们一无所知，他们在最辉煌时为你锦上添花，却不知锦绣背后的针针刺痛。

最关键的是，你是否看到，当宣布这些新高管的名字时，那些陪你一路走来的老员工们，眼里黯然的神色。

他们也许没有著名学府的毕业文凭，也没有读过 MBA；他们没有当过大公司的主管，只是陪你在创业初期东跑西颠，兢兢业业。他们忠于公司，并乐于为公司奉献自己的青春、热血和激情，他们很少对你抱怨和要求过什么，然而他们未必没有在心里暗暗希冀过，可以在公司有更好的发展。

但你总是觉得不放心，因为彼此太了解，所以你熟悉他们所有的优势和劣势，你会下意识放大那些劣势，然后你会想，也许会有"更好的选择"。

可是你似乎忘记了，这个世界从来就没有完美的人选，只有最合适的人选。

一个好员工最关键的并不是优势比别人多，而是在面对工作时，愿意为了公司，竭力克服自己的劣势，并努力把自己也许并不丰沛的优势发挥到最大，进而让集体利益最大化。

在网络上传播的马云故事中，有一条是他讲述自认"最遗憾的错误"。

他在 2001 年，告诉他的十八位共同创业的同人，他们只能做小组经理，而所有的副总裁都得从外面聘请。然而十年过去了，他从外面聘请的人才都走了，而他之前曾怀疑过其能力的人都成了副总或董事。

马云说，他相信两个信条：态度比能力重要，选择同样也比能力重要。

我也相信，你也应该相信。

做一个管理者，就像每天拿剑上班的人。

高手用剑，出神入化，不但保护自己，也可以见血封喉，游刃有余。

半吊子剑客用剑，偶尔伤人，偶尔伤己，无法操控剑的走向，永远在危险的边缘。

笨蛋剑客用剑则从来伤不了人，搞得自己遍体鳞伤还破口大骂剑的质量太差。

比笨蛋更笨的一种剑客，则把烧火棍当作剑，舞得呼呼作响，还自认天下无双。

当然，这些都不是最糟糕的结果。如果把一把好剑活活用成了烧火棍，才算暴殄天物。

即使做不成高手，也不能成为最后一种人。

因为这样的双重耽误，阻碍了你的事业，亦泯灭了剑的光芒。

于人于剑，都是最大的悲哀。

我亲爱的朋友，以上的话，只是浅薄之见，却是肺腑之言。

我知道你一定可以成为最好的剑客，最成功的领导。我们都在职场上浮沉，幸运的是，长剑才刚刚出鞘。

更幸运的是，你是拿剑的那个人。

命运掌握在自己手中，总比被别人握在手中要好得多。

你是弱者，又有什么了不起

弱者只是注解，并不是用来要挟这个世界的道具。你没有这个资格。

认识一个做设计师的哥们儿，脸色永远蜡黄憔悴，头发永远像鸡窝，每天蹲在乱七八糟的电脑前一副死去活来的模样，见到人就满口抱怨。

抱怨的对象自然是他的甲方。

什么"这已经是第七遍修改了"、"不知道什么样的成品才能让他们满意"、"所有的甲方都是不知道自己要什么"，诸如此类。最后一定还要用那句设计师常见口头语作为总结——甲方虐我千百遍，我待甲方如初恋。

再加上一声悠悠叹息，端的是可怜万分。

有一次我实在忍不住，问他："你想过吗？甲方为什么会一再为难你？"

他在厚厚的镜片后面瞪大眼睛："当然是因为他们难搞！"

我说："我就是做甲方的，了解甲方的心理。甲方只是一个握着钱想要买东西的人。你若是个有诚意的买家，也只会货比三家，不会只看不买，更不是一个找茬专业户。如果你的产品真的有想法有创意有深度，符合要求，甚至还能让人眼前一亮，谁会没事儿就为难你？"

他辩驳："可是我做的东西都很不错啊！"

我摇头："那只是你认为的不错而已。你有多久没有了解市场？做过调研吗？经常翻阅最新的产品手册吗？你尝试过去进修，去读专业书籍，去提升自己的品位和美感，去看看外面的新世界吗？"

他张了张嘴，却没有说出什么来。

我又说："即使做出一份完美的作品，但不符合客户的要求，也是失败的。没有最好的，只有最适合的。客户真正的需求和心态你揣摩过吗？与他们有过真诚的沟通与交流吗？反思过对方不满意的根源吗？你拿不出对方想要的东西，就是你的问题。"

他有点尴尬，"可乙方本来就是弱势群体，难道甲方就不该多一点理解吗？"

我笑起来，"难道甲方应该因为你是弱势群体，就放低对产品的要求吗？"

在某次大地震时，一位妻子被埋，丈夫徒手挖了十几个小时，救出了妻子。妻子的性命虽然得以保住，却双腿截肢，终身残疾。

妻子感激丈夫的救命之恩，认定"没有哪个男人会比他更爱我了"。丈夫也表示要一生一世照顾妻子，场面催人泪下，许多人感慨他们忠贞的爱情。

这故事本该到此戛然而止，如同童话里的收梢，从此他们过上了幸福的生活。然而，几年后一次关于当年地震幸存者的采访中，另一个结局赤裸裸地呈现在世人面前——丈夫在几年前离开了妻子，已经在外面"有人了"。妻子还在苦苦等待着丈夫，只有家人陪伴着日渐消沉的她……

在初读这篇新闻时，我与所有人的感慨一样，只觉沧海桑田，人心易变。可是当读到另外一篇关于此事的深度报道后，我渐渐改变了一些看法。

报道中说：妻子因为瘫痪的原因，脾气性格大变，丈夫做事稍不顺意，就哭闹或埋怨，对待亲友也无好声好气。她双腿残疾，还有双手可以使用，却拒绝做任何工作，每天无所事事，诸多挑剔，恨上天不公，甚至几次尝试自杀，折腾得家人筋疲力尽……甚至在记者采访时，还在持续哭诉丈夫的不忠与自己的不幸，再不提半句他曾对自己的好。

读毕，别有一番滋味上心头。的确无人能在这样惨烈的婚姻里有资格做道德评判员。但是妻子所为，却是用尽了一个弱者的身份，在胁迫丈夫爱她、宽容她、忠于她，甚至把今生都无条件奉献给她。

如果我是那位丈夫，也会大声反驳一句：凭什么？

残疾是不幸的，但生活却不会永远不幸。

坐着轮椅的妻子，也可以是温柔体贴，善解人意的妻子。

无法自理的妻子，也可以是找到生活重心，帮助别人减轻一点负担的妻子。

没有了双腿，还可以拥有灵活的双手，倾听的耳朵，微笑的眼睛，和一颗体谅他人，自强自立的美好心灵。

孱弱不是用来肆无忌惮伤害他人的理由，更不是维持天长地久的唯一砝码。

因为在除掉强者和弱者的名头以后，我们首先都是一个"人"。

没有哪个人，愿意无底线地对另一个人退让。

在这个世界上，有太多的弱者以弱者自居，以此希望世界给予他们更多的宽容、帮助甚至成功。如果不给他们，就会大哭大叫，捶胸顿足：

"为什么？为什么对我这么不公！"更有甚者仇视这个世界，甚至放弃这个世界，在弱者的"名号"下，草草了结一生。

没错，你不如别人生就豪宅香车，英俊貌美，高贵富有；不如别人天资聪颖，机智练达；不如别人身体健康，人见人爱；你卑微、贫穷、笨拙甚至有终身无法弥补的残缺。

你是一个弱者。

可是那又有什么了不起?

弱者只是注解，并不是用来要挟这个世界的道具。

你没有这个资格。

弱者不是无限索取的源头，即使别人因为你的弱势而施舍给你想要的东西，那也仅仅是施舍而已。你是弱者，却不应是一个乞丐。弱者被人怜悯，乞丐却被人彻底瞧不起。

弱者更不是一种自怨自怜的资本，甚至可能是变为强者的起点。因为你比那些生下来就万千宠爱的强者，还多了一分可以去拼，去创造，去改变自己的命运的机会，这是多么难得的偏爱。

成为强者那一天，你绝不会因为对方是弱者而放松要求。也许会比当年你遇见的那些强者更严苛。

——因为你知道，如果不这样做，弱者永远只是弱者。

你只该庆幸，你仅仅是一个弱者，而不是死者。

尊重这个不可思议的世界

"尊重"绝不是社交场合的礼节，而是来自一个人对另一个人自然的平视，

质朴而明确，不功利也不廉价。

"尊重"是什么？

很多人会说：礼貌，客气，平等，友好地讨论问题，理智地分享观点……这些都是尊重，没错。但我们内心都默默地有一条并不公开的底线——如果遇见的事物超出了常理的认知，我们还会做到如上描述的气度吗？还会与其彬彬有礼地探讨未知的一切吗？

尊重，在跳出"合理"的圈子之外，还可以安然存在吗？

有一位写手——之所以称她为"写手"，是因为在大多数人看来，她实在无法称得上"作家"。

她写东西，销到台湾，销量很好。她每个月的稿酬丰厚，生活得无比潇洒。

可是她写些什么呢？那些大约十二三岁少女才会看的言情小说——男主角一定是白马王子世家总裁，女主角则其貌不扬撒娇撒痴终成正果，间或有些打擦边球的情色描写，什么"胸口两点红樱"，"他邪魅一笑"云云，翻看两页，实在有些啼笑皆非的感觉。一位不喜欢她的读者说：

这明明就是教人不学好的"校园垃圾文学"。

这位写手坚持自己的创作，无论听到嘲笑打击也好，讽刺挖苦也好，都依然我行我素，照写不误。每每出了新书，还会特意抱来一摞，签上名字——送给朋友们。

某次一位朋友终于忍不住，说："下次你出的书就不用送给我了，我们家书架实在放不下了。"

这倒还算委婉的说法，另一位脾气火暴的朋友索性把书扔了回去，"这种书，我可不敢往家拿，省得教坏了我女儿！"

饶是写手朋友神经再粗，当下也忍不住涨红了脸，默默地收起了书。

事后，另一位朋友安慰这位写手，对她说："不要再送书了，只要不提书的事情，大家还是乐于与你为友的。"

她摇头，"正因为我们是朋友，所以才送书给你们。我不明白这些书怎么了，我靠劳动辛苦赚钱，既没杀人也没放火，甚至还捐款给慈善机构，难道就因为这些作品在你们眼中'庸俗'、'低级'，我就一定要失去起码的尊重吗？"

她又对那位朋友说："你看似安慰我，其实你也并没有尊重我，也一样看不起我的职业，只是你没有他们那么直接。所以我还是谢谢你。"

一位早年做过驻唱歌手的朋友，曾拎着吉他到处跑场子赚钱讨生活。某个冬夜他唱完歌出门，在寒风中等车，忽然一个小女孩向他走来乞讨。小女孩楚楚可怜，一口一个"哥哥我饿了。"他心生怜悯，摸了摸衣兜，却发现自己只有两元钱。

两元钱，可以够他坐着有座位的中巴舒服回家。一元钱虽然也能回家，但只能在大巴上一路站回去。他已经累了一天，又背着沉重的吉他，站个十几站地回家实在是太辛苦了。然而这位朋友想了想，还是掏出一元钱递给了小女孩。

于是这位朋友看着那小女孩拿着一元钱，穿过马路进了一家便利店。

他以为小女孩是饿坏了，进店里买些吃的，也没在意。谁知他上车时，

透过车窗看到那小女孩从便利店里出来，手里竟赫然抓着一只彩色气球！

他把这个故事告诉了我们，大家展开了热烈的讨论。

一位男性朋友说："你该直接帮她买个面包，不该任由她支配那一元钱。那小姑娘毕竟只是个没有生存能力的小孩，看到气球漂亮，就忘记了自己还挨饿的事情，白白浪费了你那份好心。"

另一个女性朋友却面露憧憬，"买气球有什么不好，我觉得这个故事很浪漫啊。为了美丽而忘却饥饿，简直是一个梦境中的童话。"

我们见讲故事的朋友不说话，便催促他。

"你呢？说说你当时的感受。"

"我啊……"他慢悠悠地开口："首先，我不后悔把钱给了她；其次，当时我虽然觉得莫名其妙，但并不生气；最后，我觉得既然钱是她的，那么无论买面包还是买气球，都是她的自由。哪怕她因此挨饿，也是她乐于选择的结局。"

他最后总结："不要把她看成一个乞丐，而把她看成一个想要气球的普通小女孩。这样，才是最好的给予和尊重。"

我喜欢他这番话。这里的"尊重"绝不是社交场合的礼节，而是来自一个人对另一个人自然的平视，质朴而明确，不功利也不廉价。

一位报社总监带着实习记者去被访对象家中做采访，这是一位老画家，无儿无女，独自生活。他们进门的时候吃了一惊——屋子里散发着霉臭的味道；袜子与内衣随便堆在一起，时不时窜出几只蟑螂；许多吃过的泡面盒扔在桌子上，里面堆满烟灰，已经生出了绿毛，看上去可怕极了。

他们几乎是在各种杂物中"开"出一条路来才走到沙发旁边，为了可以坐得宽敞一些，只好自己动手把沙发上那些沾满染料的画笔与调色板以及大堆的废纸团挪到地上。当搞完这一切，终于可以坐下来聊天时，实习记者已经快要把她漂亮的眉毛皱烂，简直要哭出来了。

老画家却没有什么不好意思，很坦然地接受了访问。工作结束后，两人与他道别，他说：谢谢你们来采访我，但是麻烦临走前把沙发上的那些东西复位，一会儿还要用的，怕找不到。总监说好的，然后又把那些画笔纸团一一摆放回原位。

出门以后，实习记者看起来几乎要爆炸了，愤怒地用力摔着她的包，"凭什么还要帮他收拾东西！那么乱的家，有什么可复位的？他都不会不好意思吗！"

总监笑笑："不必生气啊，因为也许他真的觉得那就是最合理的生活方式，我们看到的杂乱无章，在他眼里就是井然有序。"

"但没有人会过这样可怕的生活！"她犹自忿忿。

"我们不会这样生活，但他这样生活，我们并没有资格批判和敌视。因为他并没有依靠我们什么。他有属于自己的人生规律与理念。未必正确，但须尊重。"

很多时候我们无法做到"尊重"，只是因为面对的事情实在超出了认知的范畴，觉得颠覆了人生观与世界观，与所受的教育背道而驰。于是，在"违背常理"的面前，我们经常做出"违背教养"的举动。

然而冷静下来再思考，每个人都是自由存在的个体，都有选择生活方式的权利。哪怕是公认的荒谬或诡异，只要不违背人类道德与法规，那么就无法抹杀其存在的意义。

一位台湾学者写过一篇《日本地震教我们的事》。他在文章中总结了日本电视媒体在灾难来临时的冷静、客观与专业。电视机前的民众几乎见不到血腥、死亡与声嘶力竭的号啕大哭，只能看到受灾民众哽咽着讲述自己目前的需求，水或者食物。所有拍摄的镜头都严格保证着一定距离，没有任何拦截或者强行侵入，更没有摄影师凌驾于救援队之上的事情发生，记者永远跟在救护队员的几步之外，绝不制造任何混乱，仅仅作为旁观者而存在。

某天，NHK想采访一位父亲与幸存儿子的灾后重逢，在询问父亲的意见时，父亲考虑了一下，然后抱歉地请媒体等待一下，他要征询儿子的意见，然后转身进了病房。摄影机开着，面前是白色的门帘，整整两分钟，在播出时一动未动，一刀未剪——直到那位父亲出来示意可以进去拍摄了。整个过程耐人寻味，值得探讨。

在给予被访者足够理解的同时，也给予观看者以足够的知情权，这是作为媒体给予的双重尊重。这种优雅与稳重的采访得到了全球舆论的一致赞许，NHK的报道被评价为"绅士般的报道风格"。

尊重从来就不是高高在上的施舍，而是发自内心的平等对话。

对于俗世的我们来说，尊重更像是一种修炼。泰山崩于前，尊重它的崩溃；海水乱于前，亦尊重它的狂乱。心平气和，宠辱不惊，终会得泰山之敬，海水之仪。境界虽然难得，但并非不可得。

尊重合理的一切并不难，难的是尊重不合理的一切。

能克服这种困难，本身就是一种伟大。

不歧视他人处世态度，不干扰他人的生活状况，给予彼此独立的个人空间，并体谅对方以任何形式存在于这个社会，以平和的心态去接纳所有看似"不可思议"事物的存在。

这才是真正处世的高贵，与灵魂的优雅。

最好的孤单

孤与单

单是一种气度，孤是一种绝望。

人生可以单，却不能孤。

周末的晚上去看电影，偶遇几位同事。

他们见到我独自前来，都露出惊讶的表情："你一个人？"

我左手拿着爆米花，右手拿着可乐，手指里还夹着电影票，忙不迭点头："对呀，这家影院就在楼下，我经常一个人来，很方便。"

他们倒吸一口凉气。虽然没再说什么，可看向我的眼神却开始变得诡异和怜悯。这让我渐渐有些不自在起来。

结果那场电影我看得很不愉快，如坐针毡。

后来把这件事情讲给一位朋友听，她问我："你从来都是一个人看电影吗？"

我想了想，老老实实回答："不一定。爱情片自然要跟男朋友去看，其他的就比较喜欢一个人。尤其是推理片和灾难片，特别享受那种屏息宁气全情投入的感觉。有个人在旁边，总觉得分去了大半心思。"

她乐了："那很好啊，没问题。你只是追求单独，这和孤独是两回事。"

去圣托里尼岛度假，顺便拍了一套照片，回来大家都赞漂亮。

有一位朋友却说："什么都好，就是少了个男人。在圣岛一个人拍写真，还穿这种长长的白裙子，看上去实在太奇怪了。"

她这番话引起了一阵热议。有几位朋友顺势总结出她们觉得世界上有哪些风景是必须要成双成对才能去的，比如希腊、马尔代夫、毛里求斯、卡帕莱、普吉岛、巴厘岛等等。

朋友振振有词："像西藏、柬埔寨、尼泊尔自然是可以独行，但蓝天白云碧海的地方，一个人游览怎么可能有滋味？"

"那如果你一直没有找到陪你一起的人，或者那个人因为忙碌总是没有时间，你就一辈子不去这些地方了吗？"我反问她。

她一时语塞。

另一位朋友笑道："当然不能，单身旅行的妙处在于自由自在。上次我在帕劳深潜，爽极了。这要是我老公在旁边，根本不会让我下水的。"

她老公在国家安全部门工作，根本无法陪她出国旅行，于是她经常一个人买张机票就飞去某个海岛度假。

她常常感慨这种被迫的单身，起初觉得不适，后来却享受到不一样的自得其乐。

其实也想过，若与对的人去留下并肩的身影，该是怎样的动人风景。但迟迟无法成行却并无任何沮丧，反而坚定了独自前往的决心。

事实证明，当一个人徜徉在八角梅盛开的小巷；一个人伏在伊亚的烽火台看日落；一个人在费拉的海边栈道小酒吧品酒；一个人在易莫洛林悬崖上顶着狂风高声唱歌的时候……那种随性与惬意，是一种难以用语言描述的畅快淋漓。

两个人的照片固然甜蜜，一个人的照片也很精彩。不用顾及他人的表情与姿态，我行我素。奔跑或起舞，大笑或冲着摄影师做鬼脸。

那个拖着白色裙裾的自己，在圣岛的蓝顶教堂前，笑容灿烂，青春美好。

我想，待到年华老去，终会赞一句自己：当断则断，留住时光。

想起在网络上的一个帖子：你最不能忍受一个人做什么事情？下面的讨论热火朝天，从一个人逛街、一个人唱 K、一个人打球……排名第一的是一个人吃火锅。

然而迅速出现反驳的声音，更多的人评论：我就曾经一个人逛街 / 唱 K/ 打球 / 吃火锅啊……虽然偶尔会有奇怪的目光投来，但是只要自己高兴，又有什么大不了。

"我女朋友不吃肉，连放到汤里都不行，我就只好天天陪他吃素。那天我实在憋疯了，半夜跑出去自己到饭店要了个火锅，吃了四盘羊肉，撑得不行！结账时老板一直表情古怪，估计觉得我是个神经病吧。哈哈，管他呢！"

"你们没试过一个人唱 K 吧？我去年想参加个歌唱比赛，没地方练歌，就跑去 KTV 自己开了个包房，唱了四个小时，没人跟我抢麦，想唱什么都行，特爽。服务生一直在问我：先生，还有朋友来吗？可能也把我当怪胎了吧。"

"当然要一个人逛街啊！有朋友的话，她停下来看的东西你不一定感兴趣，你想买的东西她也只好碍于面子等着你。多不自在。"

……

原来，有这么多的"孤单患者"。

"孤单"是一个完整的词，可是分开来看却又各有不同。

"孤"和"单"究竟要怎么区分？"单"是心理上可以接受二人或

多人世界，只是乐于享受一个人的生活而已。"孤"这个词却是多么的寒气凌人。古代皇帝自称孤，还有一系列听上去就忍不住哆嗦的词语：孤僻、孤傲，孤寂，孤立，孤寒，孤绝……

"单"却是一种寂寞的力量，强大的境界。

对于创作人来说，它可以提高专注力，心无旁骛，寻觅灵感。

对于失恋或失败的人来说，它可以平静躁动的灵魂，理清思绪，重新出发。我们可以体会单身的优雅，单独的自由，单一的乐趣……只要你喜欢，"单"就像生活中的调剂品，是一种独特不失美感的生活方式。

但我们不能让自己彻底"孤"下去。孤僻、孤寒或者孤立，不容于世，排斥交往。久而久之，不但人会变得冷漠、狭隘甚至尖锐，这种"孤"甚至会造成自我厌弃的创伤情绪。

有一位小妹妹，90后，是个不折不扣的"宅女"。某天她妈妈给我打电话，希望我可以去开导一下她，又说自己的女儿每天只在家中看电视，打游戏，拒绝与父母沟通，也从不出门见朋友。妈妈实在担心，只好向我这个从小与她玩得比较好的姐姐求助。

我对她妈妈说，这已经不是简单的"宅"了，而是由于长时间孤立于社会之外，心理孤僻，甚至产生自闭的倾向。

我想了个办法。从那天开始，我拜托所有的朋友，包括自己在内，无论出差还是旅行，每到一地就买上几张具有当地特色的明信片。上面也不写什么劝慰和祝福，只写路上所见的趣人趣事，尽量叙述得活灵活现又诙谐好笑，再寄给她。

听女孩子的妈妈说，起初她还很不在意，时间久了，明信片越来越多，她渐渐开始留意并期待起来，把收到的每一张明信片都好好收藏起来，有几个特别有意思的故事还翻来覆去地看，经常看着看着就笑出声来。终于有一天，她对妈妈说：我也想到这些地方去看看。

家人趁热打铁，陪她出国游玩了一圈。旅行十分愉快，这孩子回来后大为改变，不但不再自闭抑郁，还声称自己将来的梦想就是读万卷书行万里路，靠自己的努力环游世界，让父母大为欣慰。

《无量寿经》云：人在世间，爱欲之中，独生独死，独去独来。当行至趣，苦乐之地，身自当之，无有代者。因此孤单并非一个人的，而是人人皆有的，不可逃避的。

然而，一个人可以"独生独死，独去独来"，却不能孤绝于人世。"倚遍栏干，只是无情绪。"显然就已经是自怨自艾，从心底漾出悲苦来。

人生可以单，却不能孤。

"孤"与"单"的区别在于，单是一种气度，孤是一种绝望。

一个人时，可以享受独立的时光，却不能放弃对情感的憧憬，可以与每一位人生的伴侣发展全新的关系，并始终抱有幸福的期待。

既可独身前行，自力更生；也可知己成群，觥筹交错。

既可"举杯邀明月，对影成三人"，也可"呼儿将出换美酒，与尔同销万古愁"。

既可出世，又可入世。

这才是"单"最好的魅力所在。

自如地转换生命的角色，这才是真正的成熟。

永远记得，要把"单"经营成美妙插曲，而不能放任成生活的主旋律。

你只是单一阵子，并不是孤一辈子。

婚外之物

爱着、爱过，还是从未爱过。
结婚、未婚，还是今生不婚。
只要觉得值得。

亲爱的朋友，你深夜来电，说你有些心烦，想找人倾诉。

我问你，工作顺心、生活平稳，有什么可心烦的？你说还不是父母逼婚？我已经三十三岁了，再不找，就真的找不到了。

你在电话那端深深地叹息，问我："我该怎么办？"

那么，我的朋友，我很想知道，烦恼的根源是在于找不到那个对的人，还是在于被逼迫结婚的这件事呢。

我们相识十年，我了解你，不在了解自己之下。

外貌靓丽，有车有房，时尚行业的工作，收入丰厚，为人善良，孝顺顾家，爱好电影和读书，要命的是，胸还很大——你瞧，这几乎堪称一篇优质的征婚启事，但凡异性，都该为如此佳偶前赴后继。

可你偏偏已空窗多年。

我几乎可以背出那些亲戚友人对你的评价与劝告："太挑了。""条件太高了吧。""适当放低身段，男人才会喜欢。"

只有我知道，你并不是挑剔。

对于另一半，你不渴望英俊的外貌，不规定高薪或车房，更对地域或背景身份之类没有任何硬性要求。

你说，只想要一个思想合拍的伴侣，"聊得来"即可。

好吧，也许他们说你挑剔是对的。"聊得来"才是最高的要求。

你反应非常机敏，喜欢读书，阅历丰富，口才极佳。在社会上摸爬滚打十几年，人际交往游刃有余；同事和朋友们都喜欢你，因为你永远是笑眯眯的，赞美每一个人，传递着一切你认为美好的东西。

可是这样的女子，做朋友容易，做另一半却太难。

"聊得来"的深层含义其实是：读得懂你的内心，听得懂你说的话，与你的见识同步，配得上你的好，并能互相给予慰藉、理解和力量。

也许在世界某个角落，的确有这样的男人。

只是要那么巧合，下一个转角遇见他，可能性实在很小。

在这个世界上，有太多像你一样出色的人，他们已经结婚生子。并不是他们个个都比你运气好，可以轻松遇到完美契合的对象。大多数人是为了父母、世俗或是出于对幸福的渴望，改造自己，委屈自己，甚至把自己的习惯重新洗牌，去迎合圆满对方的残缺的另一半。

当然，这样的选择未必不幸福，婚姻如人饮水，冷暖自知。可你却一定要想清楚，别人的选择再好，那终归是别人的选择。

如果匆忙将就一段婚姻，那么结果会不会比你现在幸福？

如果不会，那又为什么要将就？

我常去的咖啡厅，老板是一位女士，年逾五十，眉清目秀，保养极好，学识渊博，为人温柔，说话轻声慢语，长年穿着白衬衫与黑色丝质长裤，清爽干净。

我们都喜欢到她的店里坐坐，后来甚至成了朋友，经常去她家聚会，她下厨为我们做很好吃的橄榄油煎蘑菇，品尝她收藏的红酒，临走时还可以在她的画作中选择几幅自己喜欢的带回去。

后来我们知道她一直没有结婚，难免惊讶。她却笑笑说没关系，似乎对于她来说，这真的只是一件"没关系"的事情。

她说年轻时也曾憧憬过身骑白马的王子，希望办一场满是鲜花的海边婚礼，知她惜她，陪她流泪或欢笑。然而，终究还是没等到对的那个人。

然后她被家人逼婚，在那个年代，不结婚简直更是一件大逆不道的事情。母亲几乎跪下来哀求她，父亲怒极也骂过她"没人要"。她难过委屈，却依然不肯低头，只能把自己封闭在绘画里，一天天地熬……

不，她说那不是封闭，她在画里找到更多的乐趣，那里有无数崭新又奇妙的世界。后来她的几幅佳作颇受业内好评，卖出好价钱，虽不至大红大紫，也自得其乐。

熬到四十岁，家人终于不再念叨了。他们陆续去世，她继续着自己的单身生活。

有人劝她，到老了，找个伴儿吧，免得生活无聊。

她摇头，我真的不觉得无聊。

她开咖啡店，学习现代舞、花艺和摄影，独自一人去尼泊尔或土耳其旅行，走到哪画到哪，再将作品赠给喜欢的人。她在各地都有朋友，生活自在而宽裕，也受人尊敬。

偶尔会有人用怜悯的语气说她：你还没结婚，老了生病可怎么办？

她微笑，说生老病死，自有天注定。如果我结婚了，也不代表到老就一定有人照顾，因为对方的生老病死，抑或中途变心，也不由我控制。何况，为了病时得到照顾而勉强结婚，不但是对自己的不负责任，也是对婚姻，对另一方的不负责任。

她最后说：灵魂伴侣，如果不够合适，那就成了灵魂的枷锁。

读到一则新闻：单身半生的中国作家协会主席铁凝，在她五十岁那一年，忽然与华侨大学校长、著名经济学家华生结婚。

如铁凝这样的女人，等到五十岁时才步入婚姻殿堂，肯定不是因为"找不到"，而是因为"不适合"。

1991 年，冰心老人曾问铁凝："你有男朋友了吗？"铁凝回答"还没找呢"，老人劝告她："你不要找，你要等。"

于是这一等，就等到了五十岁。

据《南方周末》的一篇报道透露，铁凝和华生没有透露他们相识和相爱的时间，双方都否认了一见钟情。

"一见钟情就不正常。一个人在我们这样的年龄，有我们这样的阅历，能真正开始一段情感之旅，不容易。"华生说。

在此之前，铁凝和华生跟朋友有过一次旅行，在苏州最古老的山塘街，一起听评弹古曲《钗头凤》，台上吟唱深切哀婉。两个心怀爱情的中年人，在陆游和唐婉的爱情绝唱中，听到"内心温湿柔润"。

苦苦追寻五十年的心灵投契，不是每个人都给得起，但是终于遇到，就不辜负曾经的等待。

铁凝说："自己从骨子里还是一个相对传统的人，对婚姻的期待比较高，也才总觉得自己没有准备好。我宁愿没有，也不要一个凑合的婚姻。婚姻跟人的好坏没关系，好人非常多，但他不适合你，可能你也不适合他，这就是情感的难处。"

韩国历史上第一任女总统朴槿惠，是大众眼中的"冰公主"，至今未嫁。她的故事每每读来，都令人感慨不已。

她含着金汤勺出生，父亲是韩国第18任总统朴正熙，母亲早年遇刺，她匆匆结束法国学业回国，从此穿戴母亲的衣饰，学习她的气质，代行"第一夫人"的职责。

然而在她27岁时，父亲被最亲密的下属射杀身亡，朴槿惠一夜之间从天之骄女成为平民孤儿。连她想通过法律手段惩办杀害父亲的凶手，律师都冷漠地告诉她："我不替凶手辩护，就等于帮你了。"城市里爆发游行，偏激的人们在她的门前狂呼："他杀了一个独裁者！是了不起的民族英雄。"

与此同时祸不单行，她的身上长出紫红色的斑点，没有医生知道病因。她跑到父亲的墓前放声痛哭，却被媒体拍下，令仇者大呼痛快。

她也曾想过用感情来改变自己的心态和生活，然而始终无法如愿。在大学时有许多追求者，她为了不加重安保的负担，并没有恋爱。在父亲去世后，她想起曾有父亲的一位部长对她表达过"希望你能做我的儿媳妇"。然而在她临离开青瓦台时，与这位部长在电梯里相遇，她满怀期待地与对方招呼，对方却从始至终再没看过她一眼。

她从此不再相信任何人，更不相信爱情。她在日记里伤感地写道："谁敢说曾经温柔亲切的人，以后就不会变得利害关系分明呢？"

上世纪80年代她开始闭门索居，沉淀思考。从1980年到1987年期间，她克服语言障碍，研读哲学，包括《中国哲学简史》及冯友兰的《中国哲学史》，体味诸子百家，学习中庸之道，反思父亲的错误，让自己更为宽容豁达。

她身上的斑点逐渐褪去，多年的修炼让她的气质逐渐变得沉稳智慧，冷静克制，谨言慎行，甚至有几分仙风道骨的味道。她说"一个有深度的灵魂，是要遭遇思想的探索和人生的磨砺的。"

这样的她愈加魅力四射，亦有男人爱慕她。堂哥朴在鸿也劝她如果有合适的对象，可以选择结婚，但她拒绝了。"哥哥，以后请不要再说这样的话。"

她终于还是成功了，20世纪90年代中期，韩国经济出现大幅度衰退，民众思想再起波澜，在这种情况下，其父由于当年创造的经济奇迹，居然获得了"韩国历史上影响最大的总统"民意调查中的70%。在这样的机会下，朴槿惠应势而出，参加了一系列激烈的政治角逐，从国会议员，到2012年，成功竞选为韩国第一任女总统。

政敌攻击她："没有爱情的女人怎么可能对国家有感情？"

她说："我的确没有父母，没有丈夫，没有子女，但我早已同国家结婚。"

有人说她从"冰公主"到"冰山女王"，始终冷淡漠然，工作中没有任何情感。

她一笑置之："冰，是坚硬万倍的水，结水成冰，是一个痛苦而美丽的升华过程。"

她没有爱情，也不需要婚姻。她以冰雪般的气质，成就了一个"韩国版撒切尔夫人"，成就了一段传奇人生。

每个人都有自由选择情感的权利。

如果一个女子，找了一个男人，平淡地结婚生子，柴米油盐，贤妻良母，自然是一种烟火气的幸福。

如果像那位咖啡馆女老板，修炼气质，享受生活，这种幸福，亦是旁人求之不得。

如果像铁凝这样不去考虑何时遇见，只等对的那个人。这样的幸福，哪怕来得晚，却也真实可信。

再如果，哪怕今生无爱，能换来朴槿惠这样的精彩活法，也算荡气回肠，死而无憾。

在步入那座庄严礼堂之前，仔细地想想，究竟是因为婚姻本身，还是为了婚姻以外的因素而作出这样的决定。

怕将来无人养老所以想生一个孩子？

父母的催促，亲戚的笑话，朋友们都结婚了就差我一个？

另一半很养眼很有钱所以可以带出去炫耀？

年龄大了不得不"凑合"？

仅仅因为穿婚纱很好看所以必须趁年轻时穿一次？

没有房子，所以想要找个有房子的另一半，成个"家"？

……

所有"婚外之物"，都是对自己人生归宿的一种不负责任。

婚姻，应是欢苗爱叶，两情相悦，彼此信任，自在心安，彼此想要永远忠诚相守的誓约缔结。它不应被外物而左右，勉强定下的一纸契约有着太多的不稳定因素，随时可能因为外界的动摇而破灭得一干二净。

没有爱为前提的姻缘，只是"姻"，并非"缘"。

爱情，本该信马由缰，洒脱肆意。待到尽兴之时，方知陌上花开，可缓缓归矣。祝你幸福，也不仅仅是说说而已，而是体谅理解你的选择。你能做的，只是努力拥有足够资本支撑自己的未来，可以随心而行。

这一世，茫茫人海，浮云落日，终有归处。

何必焦急，时光且长。

所有的失去都并非一蹴而就

我们常常因为太过用力追求，而忘记守护那些生活中的点滴。

却并不知道，所有的失去都源于这些被轻慢的点滴。

一位经理对我诉苦，说在昨天刚刚失去了多年的秘书。

"莫名其妙就辞职了，没有任何预兆。真奇怪！这些年没少过她一分钱，也很少骂她。怎么就突然不做了呢？扔下一堆事没人接，真让人焦头烂额。"

无可奈何，他只好物色新的秘书。

说来也巧，过了几天，我与那秘书有事约见。原来她去了别的公司，我问了问新公司的职位和待遇，并没有很大的改善，难免好奇。

"一般来说，同等条件下，做生不如做熟，那么到底为什么会离开原来的公司呢？"

她想了想，摇了摇头："其实，没有什么大的原因，都是小事。"

她做他的秘书第一年，因为给他出去买饮料，被小偷划了包，家门钥匙和钱包都丢了。她强忍焦虑赶回去给他送饮料。他知道此事后哦了一声，并没多问，照常加班工作到下半夜才结束。她凌晨到家，找不到修锁人，只得在门外蹲了半宿，天亮了才跟邻居借了钱找人撬开门。

她的奶奶去世，得知消息那一天，她在陪老板跟外商谈判，她不敢影响工作，只好在午饭时躲在休息室的角落里偷偷哭。他还是看见了，问清原委后，说节哀啊！拍拍她的肩膀，然后让她帮他把合同取来。

他去某大学演讲，主办方拿来盒饭，她正巧去工作，回来发现饭菜都没了。他一脸茫然地说：啊？我忘记你没吃过了，让人都扔了。

她病了，在家里躺着，他给她打来电话说工作的事。她实在支撑不住，委婉地说："老板，我实在没力气说话了。"那边停顿一刻，说："哦，那我们发短信说吧。"

她在他身边工作了八年，她清晰背得出这个人的生日、血型、星座、住址、电话、饮食喜好……可有一次访问中主持人无意间问起他，秘书是哪里人。他想了半天，迟疑着说：河南吧……下了台他问她："我说对了吗？"她笑，说错啦，我是山东人。他也笑，却没看出她笑里的苦涩。

她要结婚买房子，首付差八万块，借遍亲友，却从未向老板开口。她知道即使开口他也不会有任何表示。他认为她只是他的秘书而已——尽管她为他工作的时间和精力，甚至曾经超过为她的男友和家人。"

"工作不该有感情，但亦有人情，需要起码的维系。人与人之间如果隔了一百步，我辛苦走了九十九步，对方却连一步也不愿走，我也会放弃走出那最后的一步。不如花些心思，重新找一个愿意走五十步的人再合作。"

人情不是维系关系的唯一准则，然而却一定会是影响结果的准则之一。一句问候、一份手信、一次探望、一次站在对方立场的着想，反映的是珍惜与体谅。大事体现工作能力与工作资历，点点滴滴的小事，才是长久合作的坚实基石。

一对情侣，男生与女生在一起三年，却在第四个年头分了手。

男生不解，去问女生原因。女生说：因为这三年你送我的生日礼物。

男生费力地回忆着这三年女生的生日他究竟送了什么礼物。第一年，她过生日，他送了她一块手表。在此之前，她从没戴过手表，因为觉得又沉又热，很不习惯。他送了，她不好拒绝，只能收下，但从未戴过。

第二年，他送了她一只钱包，高兴地对她说："你看，是国际名牌的钱包，我上次出差去香港特意买的，你很喜欢吧？"她笑了笑，没有告诉他，这只钱包是去年自己帮另一个朋友选来送他的生日礼物，连缎带的颜色都没有变，只是他不知道而已。

第三年她的生日，朋友们欢聚一堂。有人送她最爱吃的糖果；有人送她心仪很久的玩偶；有人送八音盒，里面是她最常听的钢琴曲……他则送来一束鲜花。她说谢谢，然后收下——她没有说出口的是，彼时她已经陪伴他三年，他却完全不知她对花粉严重过敏。

她说："你看，三个生日，已经足够证明很多东西。手表代表你对我不了解，钱包代表你对我不真诚，鲜花则代表你对我不关心。这三点，难道还无法构成分手的理由吗？"

男生张口结舌，无言以对。

我家楼下有一间小花店，店主大约是很浪漫的年轻人，刚开业的时候，在店门外摆了一个大大的花瓶，还有一块纸牌子，上面写了一段话："予人玫瑰，指留余香。如果你今天心情很好，经过这里时可以免费带走一朵玫瑰。"在花瓶里，插满了大朵的玫瑰，新鲜欲滴，漂亮极了。

过了几天，我再经过那里时，却发现玫瑰少了许多，而且只剩下稀稀拉拉的几朵，半开不开的，看起来破败得可怜。我忍不住去问店主原因，那个帅气阳光的小男生一脸沮丧。

"摆了几天花，每次放出去不一会儿，所有的花就都不见了。肯定是有人贪小便宜，顺手多拿几朵，甚至干脆抱一大束走，摆多少都不够拿的。"

再过几天，我再经过那里时，发现免费花瓶已经没了。门外的纸板上也换了话，冷冰冰的一板一眼——

"玫瑰二十元一束，不议价。"

我们从未在意过生活中那些微小的伤害和疏忽，以为芝麻绿豆，无伤大雅。然而千里之堤，溃于蚁穴，正是那些积郁成怨，积怨成殇，才会最终导致走到分崩离析的那一天。

情感坚固如铁，情感也如履薄冰，在每一段关系中，我们自以为心中有底，其实却如盲人骑瞎马，夜半临深池，九十九步都安然无恙，殊不知潜藏的危险已越来越近，下一步就可能彻底崩盘。积累在天长日久，结束却可能在一念之间。

生活总归仁慈，留下一手复活赛的可能。近日听说前文中那对分手的情侣又有新进展，男生重新开始追求女生。这次他一改风格，先去女生闺密圈子里打听女生喜好；每天早上给女生送去她最爱吃的小笼包当早点；下班请女生看她最喜欢的文艺片，不再像以前一样只看自己喜欢的武打片；女生过生日时，他亲手给女生做了一只发卡，配的是她头发的颜色。

我们问女生是否重新动心，她笑得很甜蜜，说还需时间和考验。但对方的确已经开始学会如何与他人用心相处，这是很好的事情。

有心人卷土重来，日积月累，结局未必没有惊喜。只是在这加倍付出的过程中，才明白所有的失去并非一蹴而就，所有的得到也并非一日之功。

细节决定结果，细节说明珍惜，细节亦成就每一份天长地久。

若害怕失去，就不要轻慢每个细微之处。

爱，成于细微，亦失于细微。

无论多远，请找到我

如果我消失了，你会找到我吗？你说会的。

那么，你知道我在哪里吗？

发烧了，躺在床上整整两天两夜。病好以后才发现，手机因为没有充电关机了，一打开就有无数个未接电话。于是一个个回拨过去。

每个人都是相同的问话："你怎么了？不上网也不开手机，根本联系不到你。"的确，座机电话除了父母没人知道，住处也很少有人来，朋友们大多约在饭店和咖啡厅，根本没有谁是可以熟门熟路登堂入室的。

关掉手机和电脑，还有几个人能联系得上你呢？

儿时有一位关系非常好的笔友。上学时在杂志上发表的文章被他读到，便来信希望成为朋友。自己也很喜欢他漂亮的字迹和幽默的语言，于是通信整整五年，写过的信足足塞满了三个抽屉。

上了大学，电子邮件开始盛行，大家都觉得手写信实在很"土"。那时不懂事，只觉得不能再被朋友们耻笑，便越写越少，终于断了联系。

这么多年，每每想到他，都会为自己年轻时的自私而感到惭愧和遗憾。我曾尝试过想要再次联系他，可每次寄出的信都如石沉大海。

他在遥远的南方，我们从未见过，此前通信的地址也只是他的学校，再打电话过去，学校已经拆迁，自然更无法寻人。这才明白原来一段自以为漫长又深刻的友谊居然脆弱到不堪一击，仅仅丢失了一张信纸，就注定天各一方。

一个男生跟我吐苦水，怨他大学苦追了三年的女孩："送花送蛋糕送礼物，对她费尽心思，毕业突然说要去别的城市发展，销了电话号码，就再也联络不上。"

"你没她的联系方式？"

"只有手机号码啊，哦，还有她的寝室电话，可是她已经不在寝室住了啊。"

"你没去过她的家乡吗？或者与她的父母朋友没有联系？"

"……还真没有。"他纠结地抓着头发，"我为什么要跟她的父母朋友有联系？我追的是她，又不是他们。"

汶川地震时，有个小镇子上住着一对母子，父亲早逝，母亲教育儿子很严厉，儿子成年后为了不受约束坚持要搬出去单住。母亲为此很生气，两人闹得很不愉快。

地震发生那一天，儿子在自己家中被震醒，他侥幸冲出家门，发现整个镇子都成为了废墟。

他疯了一样的往母亲家里跑，到了那里，看见房子全塌了，一条街上堆满了瓦砾，到处是烟尘，根本分不出谁是谁家。

儿子连一秒钟都没犹豫，便开始找方位，挖废墟，救母亲。

当救援部队抵达时，他们震惊地发现，儿子居然凭着一个人的力量，在废墟中精确地测出了母亲所在的方向，在邻居的帮助下，救出了母亲。

当儿子被问到是怎么在毫无指导，也不曾听到呼救的情况下测准母亲方位时，得到的回答是："我知道我妈爱午睡，那会儿她一定在卧室里休息，她卧室的门往哪边开，床头冲哪里，其他房间的构造……我心里都有数，所以一下子就找准了。"

"而且，不管我们怎么吵架，她也是我最亲的妈……"儿子有点腼腆，"我这里，有她，有感应。"

他的手始终放在胸口上，躺在床上的老母亲老泪纵横。

在国外一次中学生野外生存夏令营中，一位学生不小心摔落断崖。幸运的是他并没有死，只是受了很重的伤；不幸的是事发地点远离大部队，即使喊破喉咙也不会有人发现。

这位学生在经历了最初的慌乱后很快镇定，简单用衣物包扎了伤口便安静在原地等待着救援。

一条名叫 Lucky 的狗最先发现了异常，它是学生带来夏令营的亲密宠物。当晚小主人没有跟其他同学一起回来，它焦躁不安，在狂吠了很久无果后，独自跑出营地寻找。

凭着对小主人气味的熟悉，Lucky 终于在断崖上发现了血迹，聪明的它犹豫了一下，就迅速奔回营地寻求帮助。营地此时也发现失踪事件，于是跟着 Lucky 一路寻去，终于顺利救回学生。

事后被救的学生接受采访，问他当时为什么那么镇定，因为一开始乱叫乱动的话，以他失血的程度，未必可以等到救援。

印象非常深刻的画面是学生躺在病床上，脸色苍白地说："因为我相信 Lucky，不管多远，它都知道我在哪里。"

我们以为很在乎的人，距离到底有多远？

是不是关上电话、关上电脑，我们就会彻底失去对方的踪迹。只因从不曾在意，以为永远不会失去。

我们是否试图真正了解过一个人？我们是否认识他（她）的父母与亲友，关注过他（她）的其他圈子？除了电子设备、咖啡馆与 KTV 以外，我们是否曾经想过，要真正参与到对方的生活中去？

曾有人说："这么久的朋友，我太了解你了。"

我反问："你真的了解我吗？我最喜欢跟谁煲电话粥？我最喜欢跟谁在网上聊天？我把第二把家门钥匙放在哪里？如果我离家出走，你知道我一定会去的地方吗？如果我今天死去，你有我家人的联络方式吗？"

他怔住，然后摇头。

我们自诩亲密无间，骨血相连，我们在聚会中勾肩搭背，觥筹交错，在酒吧中称兄道弟，姐妹情深，聊八卦感情和吐槽同事，然而当曲终人散，挥手道完再见，转身那一刻起，对方的生活就像一扇轰然而闭的大门，只余严丝合缝的冰冷。

这是最亲密的遥远，只关心对方推门而出的姿态，却很少考虑过门后是怎样的世界。甚至从未想过要敲敲门，询问一声，看看另一张真实的脸。

如果真的在乎，甚至有一百种可以联系上他（她）的方式。也许是一个号码，也许是一个地址，也许是一种气味，甚至也许是无法形容的一种感觉，心灵的默契，缘分的相通……就再也不会弄丢那个重要的名字。

这个世界上，有没有一个人（哪怕是像上文那样的一条狗），可以让你这样自信地说：不管多远，他都知道我在哪里。这是一件多么值得骄傲的事情。

真正的存在感，不是在对方有需要时才想要寻找你，而是你有需要时，他可以轻易找到你，帮助你，陪伴你。

我亲爱的朋友，如果有一天我们分离，请一定要找到我。

因为那可以证明，我曾经真正住进过你心里。

一晌繁华莫可期

孤独并不可怕。可怕的是，在拥有过热闹与温暖之后再面对，
那孤独便会被加倍放大。

曾经有一位亲戚，打电话求助我，对我说她的孩子一心想进娱乐圈，希望我可以帮忙。我拗不过情面，终于还是答应把那女孩子介绍到业内某公司去做明星助理，亲戚千恩万谢，女孩也乖巧可爱，一口一个谢谢姐姐成全我的梦想。

当时我问了那女孩一个问题：你为什么想进娱乐圈？

她眨着灵动的大眼睛，说：因为有意思啊。

怎么个有意思法？

跟着明星可以出席那么多豪华的场合，坐飞机到处玩，住五星级酒店，前呼后拥，多神气啊。

我笑了，再没说什么。

时隔几年，那女孩忽然给我打电话，说她已经辞了职，要回老家了。

我问她，怎么不继续做了？

她说觉得做得不开心。

我问她哪里不开心？

她说："那些华丽的场景的确和我的想象一模一样，可是每次结束后我都像做了一个梦，梦醒了，发现那些根本就不属于我。"

"在每次活动结束后，我送走艺人，依然要自己坐末班地铁回家。前一晚我还在住着五星级酒店的房间，吃着千元一位的西餐，后一晚我就要回到与别人合租的地下室，房间又潮又臭，晚饭只有方便面。在那一刻才会发现，其实你与那个世界的距离，如此遥不可及。"

"我想回家去生活，那里固然不会有这种繁华，但是也不会有那么残酷的落差。"

"我开始渴望平静了。"年纪轻轻的她，声音里却有一点细微的沧桑。

模特圈里有个姑娘，虽然家境一般，但人很漂亮聪明，年轻时谈过很多场轰轰烈烈的恋爱。男友也大多是英俊又富有的"白马王子"，常常引人欣羡不已，觉得她生活得相当精彩不凡。然而就在去年，她突然结婚了。另一半令朋友们惊掉下巴，居然是个家世长相均平平的男人。

问起她为什么做此选择，她很坦然地回答。

"我的确可以经常身穿华服，打扮得光鲜亮丽出席晚宴，可那个世界实在离我太远。高尔夫、马术、游艇……那些名媛名流说的话题我完全不懂，他们也丝毫不会顾及我的感受。站在那里，我除了这张脸，一切都格格不入。晚宴结束后回到家里，就像公主在午夜脱掉水晶鞋，转瞬就变成灰姑娘。身心都狼狈不堪，一塌糊涂。"日子总是要自己过的，一份稳定的幸福看起来那么诱人，于是她对那个追了她很久，想尽办法体贴她的男人，动了心，点了头。

上大学的时候，曾迷恋过一些偶像，也曾攒足几月饭钱，只为看一场他们的演唱会。

然而渐渐发现，每次演唱会结束，本应最满足的时刻，却往往最令人难受。

深夜，歌手与乐手结束最后一首曲目，挥手走进幕后。暗下来的场灯，空荡荡的舞台，掉落的荧光棒与矿泉水瓶，散场的人群从汹涌到稀少，最终归于寂静。

地铁与公交停运，打不到车，自己只好裹紧外套，匆匆行进在寒冷的街道上，只有风声在耳畔呼啸而过，孤独的月亮与星星在头顶陪伴。

后来我不再喜欢看演唱会，只因受不了那种散场的落寞。

忽然想起《北京遇见西雅图》中，汤唯扮演的拜金女文佳佳，在回到前男友身边以后，每天坐在空荡荡的大房子里，有许多佣人伺候，拎铂金包，开豪车，衣食无忧。可她给自己的老公打个电话，对方都懒得敷衍她。

她在每一个挥金如土的狂热白昼后，独自面对寂寞空虚的黑夜。

最后她终于选择了离婚。

孤独并不可怕，可怕的是，在拥有过热闹与温暖之后再面对，那孤独便会被加倍放大。

然后孤独发酵成失落，失望，甚至绝望。

这几乎可以令人发疯。

一位去美国留学的大哥回国，亲友们赞他就读的学校好，家中又不缺钱，完全没有后顾之忧，将来一定可以留在美国，享受"万恶的资本主义带来的幸福生活"。

他摇头，说你以为有了钱，学习好，就可以拥有一切吗？你们不知道，"亚非拉"是注定放到一起说的。无论你多么渴望与白人们交流，他们只会礼貌地对待你这个黄种人，你却绝对无法融入到那个圈子里。

那种歧视并不会挂在嘴上，但是在那些明晃晃的目光里，你可以轻易读懂真实的内容，所以他终于选择回国。

他苦笑，"这种渴望通过后天努力成为另一个种族一员的想法，不是完全不能实现，只是这条路太辛苦了。不如回国跟朋友们一起创业，没事喝喝酒、吃顿火锅、打打麻将来得接地气儿，实在，舒坦。"

这世界的确存在许多幸福的乌托邦，但，爬得越高，摔得越狠，伤得越重。

如果可以通过自己的努力实现梦想，确是一桩妙事。只是如果企图通过取巧的方式空降到那个不属于你的世界里去，就会发现，即使对方给予了容纳，也绝难接纳。

所有正在做梦的孩子们。

这一场盛宴，不过是遥远虚妄的世界里举杯欢庆，偶像们注定离去，空余舞台上散落一地的金色纸屑，与你独自一人散场的冰冷凄惶。

醒来吧，一晌繁华，终究是黄粱一枕。

最好的她们

白马公主

白马是本事，公主是心态。

王子可能不再爱你，驯马的本事却永远属于你。

上大学时，有一位学姐让我记忆犹新。

大一时，北京的房价还低得离谱，大学旁边的一些住宅小区只要2000多元一平米。那时买房也便利，付个几万块首付，按揭个千把块，也就买了。

那位学姐拼命打工攒了些钱，又问家里七拼八凑借了点，居然一口气签下了五间小户型的合同。付清首付，简单装修后就统统租了出去，因为在学校附近比较好租，因此每个月靠租金不但可以还掉月供，还能给自己剩下点零花钱。

十年后，她买下的房子增值到30000元一平米，她选在房价最高时卖出三间，另两间房子继续留做租用，一个月有近万的房租收入，堪比高薪阶层。

她并没停下脚步，这些年做基金、炒股、投资一些产业。由于心思细致，苦于钻研，又擅长把握机会，所以居然都搞得像模像样。存款一路飙升，早早跻身了千万小富婆的行列。

我曾问过她当初为什么那么有远见。她笑说其实她并不是一个擅长理财的人，只是她当时爱上了一个同样不是北京户口，家庭条件也不好的男生。未雨绸缪，便提前为他们的小家打算，却没想到老天爷在几年后送给了她一份大礼。

她与我们开玩笑："没有白马王子，就做个白马公主也不错。因为王子随时可能不爱我，但驯马的本事却永远属于我。"

有次看球赛，天降大雨。北京工人体育场门口有个卖一次性雨衣的姑娘起劲地叫卖。我买了她的雨衣，顺便与她聊了几句。她居然还是个大学生，很实在地对我说雨衣的进货价很便宜，一块钱一件，卖十五块两件，两个小时可以净赚五六百块。如果不下雨的时候她就卖荧光棒，也能赚个几百块。

我看她在雨里冻得哆哆嗦嗦，问她为什么这么拼命赚钱，很缺钱吗？她说她是农村出来的，家里有三个妹妹都在念书，全靠她一个人供。她不但有演出时出来卖东西，平时还兼着几份工。

我问她是否谈恋爱，她说听我家这情况，哪个男生敢跟我一起承担呢？我说那真是遗憾，你这么好的姑娘……

她眨眨眼，笑了起来："我不怕，自己有本事挣得到，给家人花得也踏实。要是真要向别人伸手，欠的就不只是钱了。"

曾经的一位女领导，是我见过工作最拼命的人。她朝九晚五，把公司的事情料理得清清楚楚不说，还在外面接兼职。几年下来不但自己买房买车，父母也接到了北京来，安置得妥妥当当。

她实在不算漂亮，身材矮小，皮肤黝黑，甚至有些男下属在背后用"丑"来刻薄地形容她。她也清楚那些非议，因此我们从来看不到她在谈恋爱，一心只求赚钱与升职。她最崇拜范冰冰，时常把那句"我不嫁豪门，我就是豪门"挂在嘴边。

有一次喝多了酒，她对我说了几句心里话。

"能照顾一个女人一辈子的，除了男人，就只有物质上的实力。我不能因为没有人愿意娶我，就彻底自暴自弃，失去爱自己、爱家人的能力。"

"我有自知之明。要么，委屈自己找一个条件很差的男人；要么就好好地奋斗，赚一片天地！"

同事的妹妹，19岁就得了一种慢性病，虽不致死，可却终身有碍于生活。没有男人愿意娶这样的她做老婆。然而我每次见到她，她都没有丝毫悲伤的表情，总是乐呵呵的，见人就热情地打招呼。

她自学了法语和西班牙语，给一些外商当翻译。业余时间她还去学绘画，在不大的家里贴满了画作，谁见了都忍不住啧啧赞叹，用色大胆，鲜妍肆意，丝毫看不出是一个身患重病的人所作。

后来有画商看上了她的画，为她办了一场画展，并且销量相当不错。从此她正式涉足艺术圈，身价倍增，有男人开始追求她，声称完全不介意她的疾病，只爱她的才华，希望照顾她一生一世。姑且不论是否会接受这爱情，结局又是否美满。单是这份为自己打拼幸福的勇气，便值得敬佩与赞赏。

在接受一次采访中，记者问她为什么这么努力。她说："我不能决定上天让我遇见什么样的人，但可以决定在遇见对的人时，自己拥有足够吸引他的魅力和实力。让他觉得，爱我很值得。"

有一个流传很久的笑话。清早，某个豪华小区，一位妙龄少女开着一辆宝马 X6 开出小区大门，门口几个保安们忍不住讨论起来："哎，那女的肯定是做'小姐'的。"

谁知说话的声音大了点，被那女孩听见了，女孩有些生气，倒车，摇下车窗，冲那几个保安大声吼道："喂！你见过早上六点上班的小姐吗？"

无论是炒房、卖雨衣，还是开画廊、做白领、开宝马……这些女孩没什么不同。

不管她们是脚踩水晶鞋还是马丁靴，都会活得风生水起。

白马是本事，公主是心态。

她们都是身骑白马的公主。

我们从来无法决定出身，唯一能决定的，是让自己变成怎样的女孩。

白马公主，在等到属于你的白马王子之前，不如为自己养起一匹白马，让他觉得爱你的人之外，还有惊喜的附加值。

这不算倒贴，而是他的福气，你的退路。

如果实在没有王子命，那也无妨，索性鲜衣怒马，扬鞭而去，一骑绝尘，潇潇洒洒。

总会有人遥遥指着你说——看，我也想像她一样，拥有一匹自己的白马。

女汉子

"汉子"指的不是性别，而是心胸。

"女汉子"这个名词是这几年才流行起来的。

但是在我们一班朋友心中，季云一直就是个不折不扣的女汉子。

小时候我们一起去地里偷玉米，不小心掰多了，足有大半麻袋。我跟另外两个女孩呼哧呼哧搬了半天没搬动。随着看地老头的一声怒吼，季云冲过来，尖叫着一下子把麻袋甩到肩膀上，撒腿就跑。老头在后面追了好久，硬是没追上。

怎么形容来着？我和我的小伙伴们都惊呆了。

上大学比较有意思，那时经常集体旅行，女生基本充当娇滴滴的小公主，男生大献殷勤，拎包提箱做苦力，各取所需，乐在其中。

偏偏季云就喜欢打破这种其乐融融。人家女孩子买了瓶水，拧不开，递给男生。男生连忙用力一拧——居然也没拧开。季云接过来，顺手一拧，开了。

女生笑得花枝乱颤，连声称谢。男生在一旁，脸黑得像锅底。

季云一直就是我们这班闺密的主心骨，有个女孩遭遇男生背叛，季云也不会坐下来安慰几句抱着哭两声，直接一拽那女生："走，你带我去他家！"

到了男生家门口，女生以为季云要砸门，结果人家拿出两根铁丝，三下五除二把门别开了。男生和小三还在被子里，看着两人大摇大摆走进来眼睛都直了。季云把那对男女一手一个从床上揪下来，扔进没有窗户的卫生间，反锁，钥匙拔下来，"咔吧"一声空手掰折了。

那女生在一旁崇拜得五体投地。

毕业喝酒，男生们意图找回这些年在季云身上丢回的面子，合计着要把她灌醉，拖过来三箱啤酒跟季云叫板。

长发飘飘的季云嫣然一笑说"好啊，不醉不归"。

结果三箱啤酒下了肚，最后有资格"不归"的人只有季云一个。还记得一位兄弟好不容易爬起来，红着脸打着嗝，歪歪斜斜走到季云身边，一挑大拇指——"真，真是条汉子！"

从此"女汉子"的名号响彻江湖，再无人敢挑战季云的权威。

季云也谈恋爱，男生并不是我们想象的健身教练类型，反而是文质彬彬的白面书生一枚。他捧着鲜花站在季云家楼下微笑等待，季云一见到他，小脸就像刚饮尽一碗辣椒水，迅速红得可以烧起来。

其实季云长得很好看，皮肤白皙，有一双笑眯眯的月牙眼，每天与男友挽着手走在街头的样子，看起来也是男才女貌的唯美画面——如果你不知道家里的大米是她买，灯泡是她换，下水道也是她修的话。

处了三年，即将谈婚论嫁的时候，出事了。

男友父亲生了重病，家里条件不好，一台手术 40 万，出不起钱，只能眼睁睁看着病情恶化。

男友找到季云提分手，说得很平静：我爱你，但是我必须去跟那个能出钱给我父亲治病的女孩结婚，对不起。无论想打想骂，我都由你。

我们当时都以为这男人算完蛋了，不是废条胳膊就是腿。

谁知季云定定地看了他很久，最后说：好，你走吧，祝你幸福。

然后就真的分了。在男友结婚的一周后，季云居然一声没吭辞了工作，去了印度。

我们再见到季云已是五年后。

这五年她在加尔各答做过垂死之家的义工，泰国红灯区分发过避孕套，卖过法国面包和德国啤酒，爬过珠穆朗玛，还在 50 号公路上翻过车。

她黑了、瘦了，头发也剪短了，却更加意气风发了。只要站在那里，就有一种说不出的洒脱，就会让人莫名地移不开目光。

我们给她接风，半路车坏了。她摆手阻止我们打报修电话，跳下车掀开前盖，一气呵成地修好，身上的白衬衫连个油星都没沾上。

那气场帅到无与伦比。

我们小心翼翼地提起她前男友，据说那男生结婚以后，女生家里只付了一期手术费就不愿意继续支付，说这是个无底洞，我们只是亲家，不是慈善机构。两个人大吵了几次，最后闹到离婚，女生再不踏足医院一步。

季云听着，沉默了一会儿，笑笑，说喝酒喝酒。

再次聚会时，季云没来，可我们听说了一件爆炸性新闻。

季云居然跑去医院伺候前男友的父亲！据说端屎端尿，夜夜陪护，比亲生儿子还周到。

这倒也好理解。我们都觉得大概是余情未了。只是莫名背上这样一家子负担，未免有些替季云不值。

谁知人家前妻不干了，大约是秉着"我的东西我可以不要，你凭什么来染指"的态度，跑到医院去跟季云大吵大闹，什么难听的话都说了。

季云起初一句话没反驳，一边干活一边听着。直到对方骂到"老东西还不死，就害我们离婚……"，季云猛地抓住了那女人指指点点的手。眼看着那只手像面条似的，一下子软塌塌垂了下来，甩了个山路十八弯。

愣了两分钟，那女人才嗷地哭叫起来，痛得浑身乱颤。季云等她哭得快出不了声了，慢悠悠地说，放心，是脱臼，不是骨折，你连告我伤害都没资格。

然后伸出手去咔嚓一声，复原了。

这场闹剧就这么解决了。那女人再没出现过，老爷子的身体也一天天好起来，我们都以为从此季云会与前男友成为和美的一家人，连婚礼红包都提前准备好了。

谁知半年后，季云居然又一次离开了。她把这些年在国外一路打工存下来的钱都留给了前男友，据说是一笔不小的金额，足够支付此后的疗养费了。

临走时她给我发了条短信，说自己其实在国外有一个相处了三年的老外男友，他也知道她在国内的事，很赞同。自己从未想过与前男友旧情复燃，一开始就说得清楚明白。出于朋友和责任感，她必须竭尽全力地帮助他渡过难关。

我不知该如何回复她，想了半天打出几个字：真是条汉子！

她回了我一个笑脸，说——谢谢，永远以此为荣。

我身边的季云不止一个。

她们热情、豪爽、不修边幅、大大咧咧，偶尔爆几句粗口，力气比男生还大，惹急了动起手来，你未必打得过她。

可是她们也有着智慧、细腻、善良又多情的另一面。为朋友两肋插刀，对爱人一诺千金，而父母生了她们就算是享尽儿女双全的福气。

她们很少小鸟依人，也不会撒娇卖萌，大多数时间，她们喜欢在路上生活，随性，开朗，自来熟。如果有人愿意陪她一起远行，那会是最好的伴侣，绝不会娇弱的腿疼气短，只会勇敢的一往无前。

当然，如果她愿意留下来陪你过日子，她也会洗手做羹汤，拎着平底锅在菜市场对着克扣斤两的小贩威风凛凛狮子吼，只为用最少的家用，换来为你滋补身体的食材。

她不是躲在你身后的弱者。关键时刻，她可以为你撸胳膊挽袖子上战场拼掉半条命。

只是，有多少人可以看到那些夜里落过的泪，软弱时的崩溃，不被理解的伤痛。

粗犷是伪装，泼辣是面具，有多少颗温柔的心，等待被像洋葱一样，一片一片剥开，被呵护，被翻阅，被读懂。

应该珍惜的不是"汉子"这个名词，而是真诚、豁达、大气，有担当的宽广心胸。

这是多么美好的品质，可以不理解，但永远不要惊动。

如果你爱上一个女汉子，把她拥进怀里，她绝不会一拳打在你的脸上。

她只是想听你在耳边轻轻地说——我爱你，并以你为荣。

正能量小姐

来世，你愿高高在上悲悯众生，被人景仰尊崇？

还是泥里雨里走一趟，嬉笑怒骂一辈子？

正能量小姐是我的一位朋友。

我很喜欢与她聊天。

喜欢到什么程度呢？如果很重要的客户与她同时约我吃饭，我必然辞客户而选她，哪怕少做一单生意，只为多一次与她交流的机会。

并非仅仅是我，她身边有许多像我一样的朋友。

我们喜欢她，是因为她当真是一个会倾听也会聊天的"正能量小姐"。

每每我们对她倾诉苦恼，她都会微微倾斜上半身，眼睛专注地直视倾诉者，不时轻轻颔首表示赞同（演讲书中说，这是最标准的"耐心倾听"的获得好感姿态）。待讲到激动时，她也会适时点缀几句，或评论或应和，无一不妥帖。

你抱怨工作烦扰，她轻言细语："做好自己的事，相信老板和同事是有眼睛的。"

你痛骂小人当道，她微笑开解："不必强求，退一步海阔天空。"

你哭诉男友的背叛，她认真思索后给出答案："人无完人，多看他人长处，好好过日子最重要。"

似乎永远不会动怒，也永远不会给出偏离轨道的答案。每个人在她面前，都是满腹心事地来，心服口服地去。

她不喜饮酒，即使偶尔喝酒也会控制酒量，极少有人见过她醉眼迷蒙的样子。

她极少动怒，哪怕谈判时对面坐着个脑满肠肥满口污言的金链胖子，也只是听完对方口沫横飞的演说，保持着脸颊一侧的浅浅酒窝。说，好的，期待有机会我们再合作。

她对所有的朋友都一视同仁，无论对方希望努力成为她的知己，还是转变成为陌生人，对于她来说，似乎关系都不大。

她从不与合作伙伴起冲突，即使无法合作，也没有人能有理由说她任何一句不是。

哪怕是工作上最为敌对的人，见了面也是盈盈一笑，绝不恶言相向。

一位朋友评价她：这个女人，别人永远没办法对她生气。

因此，我们在背后叫她"正能量小姐。"

她是完美的。

可是往往在许多时间，我却觉得她像端坐在庙宇里的菩萨。

冷静，睿智，悲悯，温和，头顶圣光，毫无瑕疵。

直到终于有一次，她在我的面前倾诉一些内心的苦涩，直至落下泪来。

我惊住。仿佛在听她讲述那些心理波动的那一刻，某个光洁白皙的鸡蛋壳破了一丝丝裂纹。

然而当你希冀从那裂纹中走进她的世界时，她又停下了倾诉。

任再三询问，也只顾左右而言他。

那鸡蛋随着一餐饭的结束，又无声无息地合上了——完美得似乎从未破开过。

后来，我对她说，何必活得如此辛苦。

她惊讶地摇头：不辛苦！这就是我活着的方式啊！为什么会辛苦？

于是我懂了，这样完美无瑕的人生，已经成为了她的惯性与常态，她只有活在这样的人生里，才会觉得幸福与安全。

这种感觉很难说清，如果非要加以描述的话，就仿佛……一场瑞士旅行。

瑞士以"精准"闻名于世，瑞士钟表与瑞士银行成为这个词的忠实贯彻者。起初我还不曾在意，直到乘坐过几次瑞士的火车，才体验了那种精准的程度。

瑞士人的交通完全依托于古老的火车，却极其可靠。说是8点的火车，绝对不会在8点01分抵达，只要你算好时间再出门，溜达到离你住处几百米外的火车站，那么你等车的时间几乎可以忽略为零。

如果路途中需要转车也容易，中间给你预留出五分钟的转乘时间（这在国内简直不可想象）。下一班火车往往就停在你对面的站台，拖着箱子几步走过去，用时不过两分钟，上了车，坐稳，火车正好开动。完美！

去的次数多了，我也会产生瑞士火车依赖症。做好旅行计划，每到一处，分秒不差，一定可以合理地完成当天的行程。

瑞士很美。无论是图恩湖、布里恩兹湖这种清澈见底的"上帝的左右眼"，还是"最美小镇"米伦的雪山、草地、鲜花、牛羊……处处湖光山色，无一不精致，无一不温润，连每间木屋门口的木桩，都被主人修葺成可爱小巧的花盆。

这种无死角的美丽，与毫无后顾之忧的行程，无时无刻不带给人一种安稳踏实的感觉。

然而奇怪的是，每当朋友问起我最喜欢的旅行，我第一个想起的，从来都不是瑞士。

令我念念不忘，印象深刻的，反倒是一个叫"龚滩"的地方。

那是一个建在乌江峭壁上的古镇。当年是水运重镇，好多运往云贵的货物都在这里上下。如今已经因为修建乌江水库的原因，整个古镇的房子被移往上游，早已面目全非。

当年我们却是听驴友们说起它的别样风情，一起撺掇着去了。先是坐火车到凤凰，然后转车到茶峒，再从茶峒到龙泉再转车到龚滩，一路颠簸，路上还曾被大巴车司机抛下，不得不步行半天才找到车站，累得半死。

然而当攀上古镇，站至峭壁处，俯瞰滚滚江水时，我们都不约而同地发出了"哇"的惊叹。

那种粗粝的、浩瀚的、扑面而来的震撼，远远无法用"美"来形容。

因为去时没有任何计划，随走随停，出了无数差错，可也见到许多不一样的风景。

我们曾因为在茶峒误车，而赶上了"墟日"——类似于"赶集"的日子。

在集市上有许多当地的拜祭活动，一些妇女在你的头上念念有词，烧纸烧香，生意很是红火；街边叫卖水果的奶奶热情地喊我们："姑娘，坐下尝尝！"甚至还有因为争执市集位置而拌起嘴来，用俚语叫骂的乡民。

我们游走其中，津津有味。

那的确是一次难忘的旅行，它让人气喘吁吁，却也备感乐趣。

你很难说世人更喜欢哪一种旅行。

必然会有很多人喜欢瑞士的完美。然而谁又能说，"龚滩"这种未经打磨的直爽的风情，不会更让人心动呢？

我喜欢龚滩，是因为它的"味道"与"人气"。像一个活生生站于我面前的粗衣女子，俏皮泼辣，敢说敢笑，不藏心机。她待我率真坦诚，有任何心里话都如竹筒倒豆子一般，噼里啪啦，倾囊以授。她从不担心我会为此不愉，因为她要求我也对她一样，交根交底，倾吐心事，我们体会着彼此思想交汇的火花，有泪有笑，都弥足珍贵。

而瑞士，我需仰视她，拜服她，她如衣饰华美的大家闺秀，端庄无瑕，规行矩步。她担忧自己出一丝偏差会为人所不喜，她对自己严谨到苛刻的要求连路人都会心疼——这样的心疼，自然也潜移默化成了相处的压力。

当然，她并不觉得这是压力。因为已经习惯于这样的严谨生活，并引以为豪。这已是人人称道的金字招牌，如同古时某朝代，京都中人人竞相传诵的"第一美女"，既是名号，又是枷锁。

愚钝如我，只能挑起大拇指赞她一声完美。

然而这称赞，也终究成了无形的距离。

风景如是，人亦如是。

我们终究做不到"正能量小姐"那般活法，只好继续且嗔且喜的生活。

在半夜里打电话讲心事哭到稀里哗啦；在闺密失恋时用力把她抱进怀里安慰，痛骂男人"都是渣"；与几个好友八卦兮兮地吐槽"某某真是个奇葩"；因为吃醋纠结与爱人大吵一番再和好；路见不平事就仗义执言，哪怕引火烧身……敢爱敢恨，肆意妄为，嬉笑怒骂，淋漓尽致，却也品出一些别样的人生滋味。

成不了瑞士，成了龚滩，也未必就不是精彩的一辈子。

只是，亲爱的正能量小姐，一直想问问你。若有来世，你究竟是想做阳春白雪却精准无聊的瑞士，还是下里巴人却风采迷人的龚滩？

众相皆美。你最想成就的，其实是哪一种美丽人生？

能否悄悄地在耳畔告诉我，你最终的答案。

致每一朵敏感的花

在这个世界上，无论女孩还是女人，都是一朵敏感的花。

亲爱的表弟，做为你的表姐，首先我要表示，你今天来我家，要求我亲手下厨做一顿大餐慰劳你已经被公司盒饭荼毒得不堪一击的肠胃，我非常乐意。这说明你对我的手艺充分的肯定和信赖，除了一道你最爱的龙俐鱼以外，还有美味的牛骨汤和西芹百合在等待着你的临幸。

不过，在你一边喝着汤，一边抱怨着公司和生活中的一些事情时，你没注意到我停下了筷子，一直认真听你说完，并始终未发一言。

作为你从小到大一直最信任的表姐，我想除了有为你做一顿美餐的责任，也有对你年轻的人生辅助成长的义务。

倾听，思考，然后告诫你一些小道理——是的，小道理。我知道对于像你这样刚刚毕业的年轻人来说，大道理是一定拒之门外的。

那么，让我们来听听你抱怨的那些事情吧。

你首先在抱怨你的领导。

你的公司和这个世界上绝大多数公司一样，都有内部矛盾和勾心斗角。当初你应聘进了 A 组，A 组与 B 组的组长关系不好，两组在工作上也针锋相对，但 A 组的组长始终对你和组员很好，她从最初你刚进公司两眼一抹黑的菜鸟，一点一滴教你该如何基础操作，联系客户，直到你成长为一个可以稳稳在公司立足的熟手。她在你过生日的时候自己掏腰包订生日蛋糕，全组人一起庆祝生日，做得好时从不争功，向公司为你申请应得的奖金。

你抱怨的原因在于，今天早上你主动为 B 组的组长倒了一杯茶，被 A 组的组长看见了，结果她一整天对你都冷冷的，本应交给你的工作也交给了另一个同事做。

你愤愤不平："不就是一杯茶吗？女领导就是小心眼！"

然后你开始抱怨女朋友。

平安夜，她约了你吃饭，你也答应了。但是一位关系很好的女同学忽然打电话过来邀请你参加私人 Party，你欣然应邀。对女友匆匆说了一声就推掉了约会。

女友显然不开心。深夜，她发来一条短信：如果你真的重视其他女人胜于我，我想我要重新开始思考一下我们的关系是否应该继续。

你吃惊又生气："我与那个女同学只是普通朋友关系，她想太多了吧！"

最后你开始抱怨你的妈妈。

妈妈上周打电话，问这周要不要回家吃饭。你说，哪里有时间？工作这么忙，北京和沈阳这么远，难道还要专门打个飞机飞回家吃饭？

妈妈最后没说什么放下了电话。可是不久你就接到了爸爸的电话，爸爸在电话里暴跳如雷，把你臭骂了一顿。他说这周是你妈的生日！是她的五十岁生日！你怎么这么不孝！最后爸爸把电话摔了，你窝了一肚子火。

你为自己奋力辩解："我这么忙，哪有时间记得那么清楚。再说，不就是一顿生日宴吗？和我孝顺与否扯得上关系吗？"

你最后总结陈词："她们为什么要这么敏感？真是麻烦！"

我亲爱的弟弟，也许你真的不清楚一件事。

在这个世界上，无论女孩还是女人，都是一朵敏感的花。

每个女孩的学生时代都有过这样的感受。与自己最好的闺密一起上学放学，一起吃饭聊班里八卦，甚至连上厕所都要手挽手一起去。

但是如果这几个女孩中的某一个，突然转到另外的阵营里面去，与别的女孩一起上厕所了，那在其他女孩眼中，这简直是莫大的背叛。

如果你说这是年少时的幼稚，那么在成人之后，如果最好的朋友突然在网络上贴出一张在自己完全不了解的时间和地点中，她与其他女生的亲密合影，那对于一个女人来说，依然意味着一种背叛。

只是这种背叛开始变得隐秘，除了自己在电脑前望着那张照片，心里泛出一丝酸楚之外，成年人的理智告诉她，此刻非但不能气愤，甚至还要去照片下大度地说一句：真好。

看，多么不可思议的醋意与忍耐。

情绪是一种很微妙的东西，你无法忽视它的存在，尽管有时这种存在甚至有几分偏激，却是真实的内心映射。

曾经读过一句话，与朋友的敌人关系密切，就意味着对朋友的伤害。

从这个角度来说，你应该可以理解一点你的女上司了吧？

再来从你的角度分析。

固然倒了一杯茶"不算个事儿"。不过扪心自问，你又何尝不是抱着投机者的心态，希望自己八面玲珑风生水起，甚至潜意识中希望可以"狡兔三窟"呢？这样，万一自己的领导失势，也有退路可以保障。职场如战场，自然允许各使手段，只是自己运气不太好而已。

你不愿也不曾考虑过，对于你的女领导来说，她对别人可能耍尽手段，待你却从未半分不薄。她培养了你，照顾了你，成就了你，却忽然面临这样的一幕，在那一瞬间，她心中充斥着多么巨大的、难以启齿的愤怒与难堪。

那一杯茶折射出的，并不仅仅是她的敏感。更多的是透过"敏感"，她所看到的"不忠诚"与"不真诚"。

在我看来，她只是对你冷淡了一个下午，实在已经很仁慈。

下面再来说说你的女朋友。

你与那个女同学是什么关系，我并不关心，但是你的女朋友一定比任何人都关心。对于一个女孩来说，任何与自己男朋友关系密切的其他女孩都是值得研究和推敲的。

即使我站到你女朋友的立场也会觉得，一个可以让男朋友立刻放弃与自己的约会，选择去她私人 Party 的女孩，是具有极大的危险性的。事实上，她大概已经不止一次嗅到了不一样的气息。

绝大多数男人都会埋怨自己的老婆 / 女友实在过于敏感。"不就是身上沾了点香水味吗？""不就是晚上不回来吃饭吗？""不就是袖口蹭上点口红吗？""不就是情人节出差没陪她吗？"

然而男人们也不得不承认，大多数"敏感"即使不是一猜即中，也是八九不离十。至于对于"敏感"的反弹，只是死不承认，内心波动的嘴硬而已。

如果一个男人踏实工作，生活稳定，情感专一，与所有女性保持工作上的合理距离，对自己的恋人有着充分的责任感。那么即使偶尔身上沾点香水味儿，除了少数被害妄想症来说，正常的女友都不会无缘无故地陷入到猜疑中去。

你相信吗，一个人心虚与否，是有着强烈气场的。

对于你的女朋友来说，这一场圣诞约会，她也许已经期待了一星期，甚至为了这个约会买了新衣服，化了一个新妆，甚至还想过要看什么样的电影，吃什么样的晚餐——恋爱中的女孩对男朋友有着无限的憧憬，更有着前所未有的占有欲。

这一切其实都源于她对你的重视。

当然，你可以指天誓地，与女同学并无暧昧，清清白白。退一步讲，也可能的确如此。

可是，在一个重要的日子，为了一个外人轻易推掉这样一场女友无比看重的约会，在任何人看来，本身就已经说明了你并不像她重视你那样重视她。

那一场约会折射出的，并不仅仅是她的敏感，更多的是透过"敏感"，她所看到的"不在乎"与"不重视"。

在我看来，她只是对你"重新考虑"，而不是直接分手，实在已经很爱你。

最后，让我们来说说你的母亲。

对于母亲来说，她其实并没有那么在意她的生日，她在意的是，你是否可以多一天回来陪她的时间。

生日是借口，她只想看看你的脸，让你吃顿她亲手做的饭而已。

所有在外打拼的孩子，大约都会有"忠孝难以两全"的尴尬。一方面，想要做出点成就再衣锦还乡，另一方面，也怕自己将来会面临"子欲养而亲不在"的感伤。

在这一点上，我理解你，也明白你的苦衷。

那些折磨人的加班，半夜打电话来的老板，每天见不完的客户，到家已是凌晨，疲惫不堪倒头就睡……经常会忙乱得让我们忘记自己身处何方，更别提远在他乡的亲人。

但是仔细想想，为了一单可能谈成的大生意，你可以细心地的把重要客户的生日存成手机提醒，提前三天就"嘀嘀嘀"叫个不停，生日当天早早订好鲜花和蛋糕亲自送到府上，又是寒暄又是笑脸。

为了给老板送一份材料，连夜买机票，再换乘几次车，把材料送到他的手上，熬得两眼通红却始终保持专业的微笑。

你却从未想过，礼物不过换来客户淡淡一句"谢谢了"，千里跋涉送到的材料最多让老板称赞一声"做得不错"。可当你敲开家门的一瞬间，母亲那一脸激动和惊喜是多么灿烂，父母的心中是多么温暖。

他们不会表达，却能看得清清楚楚。

这世界上重要的东西有很多，但你要明白，什么最重要。

那一个生日折射出的，并不仅仅是他们的敏感，更多的是透过"敏感"，他们所看到的"不关心"与"不在意"。

在我看来，父亲只是骂了你一顿，而不是杀过来抽你两个大耳光，实在是骨肉情深。

我亲爱的弟弟，你一定知道含羞草。

那种小巧的植物，只要轻轻一碰，它就会迅速蜷起叶子，缩成一团。

对于它来说，生命实在脆弱不堪，若对方心怀恶意，自己随时命悬一线。因此对于它来说，唯一的办法就是在接触到外界任何一丝触碰之时，就立刻将自己保护起来。

尽管这保护显得如此微不足道又不堪一击，楚楚可怜。

在这个社会上，似乎许多女人都活得强悍无比又光彩照人。可是每个女人的内心都敏感得犹如这样一株含羞草。

女人天生拥有敏锐的第六感，无论是亲情、友情、爱情，即使神经再大条的女人，也会察觉到一些预兆。

只是有些聪明的女人不愿揭穿，而有些更聪明的女人干脆不去面对。

在指责她们的时候，想过吗，那些敏感是否真的是空穴来风？

如果是毫不相关的路人，她们是否还会生气、冷漠、愤怒？

在面临那些敏感的尴尬之前，你是否享受过她们为你付出的种种好处。

你对她们的爱和信任，是否远远低于她们所对你付出的。

口口声声的"太敏感了"，也许只是对于这些女人们看穿真正的你，恼羞成怒而已。

你可以用"男人天生是粗线条的神经"做借口，但如果是率性而为，就应性情到底，一笑而过。否则，在抱怨的同时，你又何尝不是另外一种形式的敏感。

蔡健雅在《达尔文》中唱：人的一生，感情是旋转门，转到了最后真心的就不分；有过竞争，有过牺牲，被爱筛选过程；学会认真，学会忠诚，适者才能生存；懂得永恒，得要我们，进化成更好的人。

我亲爱的弟弟，我们都终将会进化成更好的人。

而在此之前，我们必须学会理解许多事情，善待许多人，善待每一朵敏感的花。

敏感不是罪过，它是聪明人的权利，笨人的借口。

作用都是遮掩受伤的事实。

相信我，若一个人敏感地观察着你，因为你的态度而轻易地产生情绪波动，生你的气，为你流泪或微笑，甚至一而再，再而三地难为自己。

那只有一个原因。

她真的爱你，也真的在乎你。

最好的旅程

死亡海岸线

人生最大的悲剧，并不是在路上迷失或死去，
而是从不曾看清过沿路风光。

2012 年，我决定与朋友去一趟普吉岛度假。

两个女人的旅程总是简单的，对好了时间，也不去在意行程的细节，就出发了。

我们去的时间正是四月，不冷也不热，阳光刚好。这会是一场放松又舒心的旅程，坐在街边小店吃着 1000THB（泰铢）一只的龙虾时，一切也的确如此。

事情发生在抵达 Phi Phi 岛（皮皮岛）的那一天。

Phi Phi 岛位于泰国普吉岛东南约 20 公里处，是由两个主要岛屿组成的姐妹岛，我很喜欢那里，每次去普吉都要在那里待上几天，人少，海水清澈，沙子细软，风景极美。

由于出行匆忙，只来得及订到岛上的一间五层小楼的旅馆，叫 Phi Phi Hotel，名字简单粗暴，倒也好记。我只是对于它没有私人沙滩有一点意见，不过进到房间里推开窗子就看到一望无际碧蓝的海水，顿时什么

不满都烟消云散了。

我站在窗口，长长地伸了个懒腰："啊！真美——"

好友一边收拾行李一边笑着白我一眼："词穷了你。"

正打算回她几句嘴，就听到一阵长长的，如同汽笛一般的声音，凄厉地在城市上空响起。

我吓了一跳，回头问好友："什么情况？"她也一脸茫然。

我们俩跑到阳台上探头向下望，只见城市里所有的人都开始狂奔，有些人拖着皮箱，有些人在飞快地收衣服，还有人在用扩音器一类的东西在不停地喊着泰语。大概也就十几分钟不到的时间，触目所及，街道上已经空无一人。

我俩面面相觑，决定还是下楼去问问。

刚走到二楼就看到个泰国当地的服务员，用英语问他发生了什么事，他完全不解释，只是拦着我们，不让下楼，并用蹩脚的泰式英语冲我们大吼："Stay here（待在这儿）！ Stay here！"

我们无奈，只好又上楼，恰好在楼道里见到一个来度假的法国人，我们拉住他问，他一脸惊恐，蹦出来一个单词："Earthquake！"

地震？我们傻了。几级啊？法国人也不答，兔子一样跑走了。我想了想，说，上网查查。

刚说完这话，眼前一黑，灯灭了。停电？

我们跑到卫生间，水也停了。

好友拿出手机，她是用的泰国当地卡，前几天还跟我炫耀话费有多么便宜来着，此刻，显示信号的地方空空如也。

此刻在我的手机上，"中国移动"那微弱的三格信号简直就是一根伟大的救命稻草——我真的没有替它打广告的意思。

我以龟速点开搜索网页，颤颤巍巍地输入了"泰国、地震"几个字。

页面抖了一下，搜索结果出来了——

北京时间 2012 年 4 月 11 日 16 时 38 分，北苏门答腊西海岸发生里氏 8.9 级地震，震源深度 33 公里。印尼气象与地球物理局官员表示，他们已向 28 个国家发布海啸警报。

我们俩一下子瘫坐在床上。

说来真的巧合，就在来 Phi Phi 岛的前一天，我们吃饭时还谈起上一次泰国海啸的事情。2004 年我曾写过一篇关于海啸的长篇报告文学，正是因为印尼 8.9 级地震，造成大海啸，30 多万人失踪遇难，包括李连杰也是在马尔代夫被海啸殃及遇险，回来后才成立了壹基金。

我甚至还记得自己当时特别大大咧咧地一挥手说："这种事，一百年也遇不到一次，下次海啸，估计百年之后了！"

可是，现在是怎么回事？

印尼！8.9 级？连级数都一模一样 ?! 海啸？没跑了？

如果在普吉岛，还可以往内陆奔逃，可我们此刻在四面环海的 Phi Phi 小岛上。

怎么办？

我们相互看了一眼，什么都没说，迅速地开始收拾背包。

这个时候，是真的明白什么叫"钱财乃身外之物"了。我那套五万多元的单反设备，被迅速地从背包里扯出来，随随便便扔在床上，再不看它一眼。我翻出一个小小的防水袋，把护照和身份证塞到里面，想了想，又把工作资料备份的移动硬盘也塞进去，很悲凉地把同事的电话和姓名写了张纸条贴在上面（事后想想也真算敬业了）。又把房间里能找到的所有的矿泉水都塞进背包里，开始逃命。

我们先爬上楼顶，发现这里早已聚集了许多人，泰国人、欧洲人，还有几个中国人，每个人的脸上都是慌乱和无措。一个泰国人显然是酒店的负责人，在大声地安抚，称这是在上次海啸中，Phi Phi 岛上唯一幸存的酒店，救了许多人，所以，"留在这里，很安全。"

有人问："那么上次海啸，这里的其他房屋怎么样了呢？"

那个人伸出手去，向楼下一指："除了我们所在的这座楼，其他，都平了。所有的房屋都是那次海啸以后重建的。"

于是众人沉默了。

沉默了一会儿又有人提问："上次海水漫到这座楼的几层？"

那人说："四层。"

这座楼一共五层，我打量了一下它，大约只是混凝土勉强搭起来的小楼，连钢筋估计都没几根，尤其还经历了上次的海啸，谁知这次会不会"骨质疏松"啊？

于是众人再度沉默了。

我与好友产生了严重的分歧。

她指着窗外的山说："我们就去那里，这小楼看起来摇摇欲坠的样子，太不保险了。"

那是一座很高的山，我也承认它看起来比这座楼更可靠。但是问题是，山看着近实际离得远，我问了下那位泰国酒店负责人："距离海啸可能到达的时间还有多久？"

他想了想："半小时。"

我指着山对朋友说："这山你看着近，实际很远，并且我们想要走到那里并不是直线距离，你看看——"我又指着小城里面那些曲里拐弯的街道："需要走多少冤枉路也不清楚，你能确保我们在海啸来临之前到达山顶吗？"

朋友也没话说了。其实我说这话心里也没底，万一到时海浪真的毁了这楼，那此刻说的话，不就是给我们自掘坟墓吗？

这时有几个中国人过来打招呼，三个女生一个男生，看起来年纪都不大。确认是同胞后，其中一个女生的表情简直就像遇见亲人："怎么办？我们怎么会这么倒霉！现在怎么办啊?!"

我心说我要是知道怎么办就不在这楼顶上蹲着了。

另一个女生抱着一个硕大的游泳圈坐在地上哭，也不出声，就默默地流眼泪。

她的眼泪感染了许多人，有一些老外也开始抱在一起哭，有些人开始跪下来祈祷，还有的人站在天台的旁边，怔怔地往外望，脸上都是绝望。

我也没心思聊天，奇怪的是，此刻的心里空落落的，有恐惧也有伤感，但是哭不出来。确切地说，是连哭的心思都没有了。我想原来面对死亡的时候就是这个感受，无助，绝望，但是无从发泄，只觉得浑身软绵绵的一点力气都没有了。

此刻天色已经暗了下来，这是我第一次看到这样的天空，在我的左手边，残阳如血——是的，我第一次觉得"如血"来形容夕阳是无比准确的，晚霞在夕阳的周围黏稠地流淌下来，糊满了半个天空，像儿时姥姥亲手做的草莓酱，带着触目惊心的甜腻感。

在我的右手边，巨大的闪电划过天空，我从未见过这么长的闪电，又如此频繁，从天上劈到地上，雪亮，一个接一个，几乎没有一刻歇息的时候，却没有雨，也没有雷声。

我被这离奇的天象所震惊，却懒得抬起手去拍一张照片，命都快没了，这场面再壮观，又拍给谁看呢？

好友终于没按捺住，给家里打去了电话。结果她妈听她说完目前的状况，只叫了一声："女儿啊……"就从沙发上滑坐到了地上，放声大哭。她爸是个冷静的人，也在电话里声音颤抖，语无伦次。她放下电话开始神不守舍，一遍遍不停地重复："我妈没事吧？她身体不好啊！我妈没事吧，哎呀我不该打这个电话的……"

我妈心脏也不好。我想了想，决定仔细观察海面，一旦要是看到浪来了，就给她和我爸拨去一个电话，也不必多说，就说一句我爱他们足矣。

此刻，估计是消息已经传达到国内的原因，手机开始疯响，全是同事和朋友打来的。我只接了一个平日里比较冷静的朋友的电话，把爸妈的电话报给了她，说："万一我要是真有什么，你帮我给他们打个电话，告诉他们发生了什么。谢谢了。"

事后她跟我说："当时你跟我说的时候，你别看我答应得挺平静，其实手都在哆嗦。压力好大！万一……可怎么跟你爸妈说啊？……这事儿我真没干过！可又不能不答应你……"

看看手机上残余的电量，我打开微博，组织了一下语言，发了一条：

"印尼 8.9 级地震，预计海啸六点半到达 Phi Phi 岛，上次据说死了很多人。此刻全城戒严，旅客不让出门，不知道这条微博能不能发出去。其实如果最后归于这片大海，也未必不是好事。我爱你，我爱你们。"

很久以后我重新回看这条微博，连自己都觉得有些矫情。可是当时在那样的心情和状态下，写下的每一个字，都是心里话，都是真实的心情写照。有人说，也许微博会是未来我们的墓志铭，我相信了。

忽然有缓慢的吟诵声在城市上空响起，似乎是泰国当地的僧侣，在用扩音器高声念着佛经。远处的山上燃起了一堆篝火。天色已经彻底如墨般漆黑，唯有海上凝滞的船只，还闪烁着点点灯光。

微博已经被朋友们转疯了，都在喊着要我往高处跑，注意安全云云。我苦笑，看了一眼时间，八点整。刚刚又查了下新闻，印尼那边还有一次 8.5 级的余震，我想，得，这次算彻底没跑了。就算逃得了第一次，还有第二次紧跟着呢！

好友往地上一坐："算了，听天由命吧！"

我们从傍晚五点，等到深夜十一点半，看得眼睛都酸了——其实一片黑暗，哪里还看得见什么？

这海还没啸。

期间那位酒店负责人又上来了几次，甚至抬上来一箱矿泉水以示安抚，可我们依然愈加看他不顺眼起来。

直到最后，这位被我们腹诽无数次的负责人跌跌撞撞地再度爬上天台，向我们大声宣布："Tsunami alert disarmed（海啸警报解除）！"

一群人愣愣地看着他，直到他又分别用英语和泰语重复了一遍。又强调说，是政府发出的正式解除信号。

忽然有人"啊"地大叫起来，我转过身，看到一群老外把其中一个人扔了起来，疯狂地喊着乱七八糟的英文。

有一对情侣，刚刚一直头碰头坐在角落里发呆。此刻他们抱在一起，深深地拥吻。

两个满头白发的外国老人手拉着手，看着对方一边笑一边流泪。

刚刚那几位中国的男生女生在疯狂地拨着号码，冲着电话大声地喊："妈妈，爸爸，我没事了！"

有人在欢呼，有人在哭，还有人在声嘶力竭地大叫。

那画面胜过所有好莱坞末世大片。

我和好友手拉着手，百感交集。

虽然证实了已经安全，然而还是没有人敢立即起身离开。大家在楼顶上又停留了大约一个小时，直到看到下面的街道已经出现了人和灯火，才陆续下楼。

当我们坐在一家非常难吃的餐厅里大快朵颐，并赞扬老板勇敢果断开业，赚钱不要命的精神时，各种电路信号也陆续恢复了。餐厅里的电视开始播出刚刚海啸预警时普吉内陆大规模人潮奔逃的画面。我们吃惊地看着那些充满了车流、寸步难行的街道和挤满了人群的楼顶，感慨原来所有的地方都一样的混乱。同时扯住老板询问播音员究竟在泰语新闻里说了些什么。

老板告诉我们，播音员解释：海啸之所以没有"啸"起来的原因，是由于这次地震为地壳水平运动所致，并不是垂直运动，不会引发大规模的海水置换，因此不容易引发破坏性强的海啸。

这当然是似懂非懂的官方说法，我们只知道，这一场劫难，在懵懂中消弭于无形。

这是我们的福报。

吃饱了回到酒店房间，心里还是隐隐有些不踏实，总怕海啸在说来的时间没来，睡着了万一又来了怎么办？但折腾了这一天，也真是实在太累了，迷迷糊糊辗转反侧，终是睡熟了。

清晨，在窗外的鸟鸣中醒来。

推开窗子，清凉的海风扑面而来，触目所及，一片宁静。

我终于相信，这一切是真的过去了。

那一天回普吉的船票根本买不到，只因许多人在经历了这一场劫难后，迫不及待想要回家安抚惊魂。我与好友不但没有想着回家，还包了条长尾船悠哉游哉地出了海。

在船上我们遇见一位湖南阿姨，她也经历了昨天的海啸。我们问她害怕吗？她说：当然害怕啊，你们还算幸运的，起码站在楼顶上。我们是在海上漂着，根本进不了港！

"为什么进不了港？"

"船长说，在海上比在陆地上安全。可那个时候，谁信啊，全在船上号啕大哭！"

"您那个时候最想谁？"

"最想我的小孙子。我就想，我活了这么久了，死了也不算冤枉，我那个时候，就想打个电话回家，听他哭一声，我死了就知足了。"她说着，眼泪又下来了。

"那您没打吗？"

"没打。"

"为什么？"

"我怕真打过去，我就受不了了……"她擦着眼泪，再没说下去。

离开普吉的那一天，正赶上当地的新年，泼水节。

陪伴我们的当地司机说，这是一个疯狂的节日。

而今年，显得格外疯狂。

我们被抹了满脸的白色滑石粉，这是当地人给的祝福。刚出了门就被人从后面一把抱住，另一个人拿了一大桶水兜头就浇下来，浑身湿透，大叫着："萨瓦迪卡！""Happy New Year！"

走在街上，每个人都在笑，每个人都抱着水枪或者拿着大大的水舀，当面给你一捧水。即使坐进车里，车外的人还在一盆盆地往车上泼，脸上洋溢着无限欢乐。而一辆辆的小卡车穿梭在城市里，许多人在上面敲锣打鼓，唱歌，泼水和被泼。

英俊的欧洲男人躺在街边的粉红色迷你充气泳池里，高声吼着："I finally made it！"

是的，我们终于活下来了。

我想哭，又想笑。

我从未如此敬畏过生命的可贵，即使在活得最疲惫的时间里，以为已经非常珍惜活着的意义，然而这一切在死亡即将到来的时刻，都显得如此微不足道。

在生与死的边界线上，你终可以明白，什么是最重要的。

当我回来以后，我的朋友曾与我玩笑说："我倒真希望和你调换一下身份，毕竟这样的经历是一生难得的。"

死亡，究竟会带来什么？奥里利厄斯曾说：人不应当害怕死亡，他所应害怕的是未曾真正地生活。而在当你真正直面死亡的时刻，你才有可能彻底了解到这一点，进而完成终极的自我认知。这样的机会，是可遇而不可求的。

我读过一篇新闻：某大学教授在一个清晨跳楼身亡。他从事生命教育研究，致力于让人树立正确的生命观，但他自己却轻生了。

众说纷纭，没有人知道他究竟面临过什么。然而我常常在想，这位教授在临行前，不管经历过多深的意识上的痛楚，他终是得到了他一生所追寻的答案。无论是滚滚红尘如梦，还是白茫茫大地真干净。

你是谁？你想要什么？你最在乎的是什么？

唯当临渊而立，风声猎猎。

一切方能明了。

李安在《少年派的奇幻漂流》中说：如果我们在人生中体验的每一次转变都让我们在生活中走得更远，那么，我们就真正的体验到了生活想让我们体验的东西。

珍惜该珍惜的，放弃该放弃的。

如此而已。

台北失物启示

我们丢失的也许不是随身之物，
而是本该常见的礼貌、善意与感恩。

我亲爱的朋友，是"启示"而非"启事"，这个标题并没有错误。

初去台湾时，大陆刚刚开通台岛自由行，自己是因为工作原因才得以成行。直到穿过台湾入境检查的那道门，我还有些恍惚。毕竟对于大陆的教育体系而言，台湾最初给我的印象，实在算是一个课本中的敏感词。如今行至这样一个神秘的地方，甚至比去一趟欧洲或美国还要来得让人期待。

台湾海关的工作人员很和气，他问我为何而来台湾，我说："拍电影。"他："导演是谁？"我说："朱延平。"他惊喜地微笑起来："真的？我也喜欢他的电影，尤其是那部《旋风小子》。"

顺手递给我一套台湾纪念币："祝您此行愉快。"

对于台湾的好感就这样被开启，在此后的几天里亦被发挥得淋漓尽致。

从垦丁行至台北，一路风景与感慨，所记深刻。

海边很美，虽然沙滩与许多度假胜地无法相比，然而空气和蓝天却相差无几，干净透彻，已算难得。可贵的是看到来垦丁度毕业假的学生们，篝火晚会后将沙滩上拾掇得连一片纸都没有留下。

民宿很简单，但不简陋。很多人家养花，在门口摆开一大片，郁郁葱葱，很漂亮。

出租车宽敞明亮，永远不用担心拒载，不管多近，不管多难走，司机总是微笑着回答你：好的。

台湾是一个极能满足口腹之欲的华人天堂。最重要的是，食材新鲜干净，哪怕是路边摊也不会吃坏肚子。一碗牛肉面折合人民币十几元钱，里面超级大块的牛肉足有十几块，分量足得连我这个食肉动物都撑得半死。

路边有可爱的女孩子推车卖柠檬汁，想买一杯尝尝。她连续抓起五个柠檬，一个个破开，挤碎，全部放入杯子里。完全真材实料，跟那种一个柠檬榨几杯的做法截然不同。更让人感慨的是，她先给你做好半杯，告诉你不必先给钱，先尝尝，看好不好喝，够不够酸，够不够凉，再按照你的要求做调整后打满一杯。价格便宜到让人不好意思。

在台湾的每一天，我与朋友最喜欢钻各种各样的夜市与小食店。从早到晚，恨不得吃得撑到喉咙口。炸鸡排、甜不辣、大肠包小肠、蚵仔煎、牛肉面、臭豆腐、芒果冰、蘸酸梅粉的红薯条、爱玉冰、宜兰葱饼、鸭舌、面线、老婆饼、绿豆糕、凤梨酥……每一种都回味无穷。

在台湾，如果你这一辈子想靠卖臭豆腐为生，那么你只需要做好一件事情，就是把臭豆腐的味道做到最好就够了。这大概是台湾美食如此极致的理由，不但延续了华夏传统风味，也时常有惊艳的口感创新。

书很贵，是最贵的消费。但在 24 小时不打烊的诚品书店里，半夜还有好多人推着超市里那种小推车，一车车地买书回家。学生们可以坐在书桌前摘抄，或者坐在地上翻阅、睡觉，醒了再继续看，绝对不会有人打扰。所有书架的分门别类非常清晰，没有任何书乱放的现象。

我喜欢这座城市，在许多细节上的感觉。

在台北故宫博物院，发生了一件尴尬的事情。

我丢失了自己的存包牌。

说起来也是自己粗心大意，洗手时顺手将存包牌放在了旁边，结果转身就忘记了。出了洗手间的大门才反应过来，吓得忙不迭往回跑，结果回去就发现已经不见了，洗手间里空无一人。

我愣了两秒就往楼下冲。当时脑子里的概念只有一个：赶在那个拾到包牌的人之前跑到存包处。

气喘吁吁跑到存包处，我对着管理存包处的女孩子上气不接下气地说明了事情的来龙去脉，然后忐忑地等待她的查验——在我的概念里，她一定会带着极度怀疑的目光，问出如下一系列问题。

"哪个包是你的？"

"怎么能证明是你的？"

"包里装了什么？"

"除了你说的这些，还有什么能证明这个包是你的？"

"包牌怎么丢的？"

"把护照给我看看！"

……

结果她什么都没问，按照我的指示顺利找到了我的包，很温柔地说："好的小姐，我知道这是您的包了，您可以现在取走，但是您也可以继续游览，我保证在您回来之前，不会有任何人冒领这个包。"

我有些发怔，这就完事了？然而看着她的笑容，我觉得怀疑她是一件特别愚蠢的事情。

我犹犹豫豫地往回走，然后被检票口的工作人员拦住："小姐，您的票呢？"

我这才发现刚才冲出来走得急，没注意到存包处是在检票口的外面。

这下可好，想要回去继续游览，还要再买张门票。

我都已经向售票处走过去了。然而，大约是刚刚那个女孩的温柔给了我一些莫名其妙的力量吧——我想了想，还是转过身向检票员简要说明了一下刚刚发生的事情。

美妙的转折又发生了。检票员听完我的说明后，点了点头，侧过身子为我让出门口："好的，小姐，您可以进去了。"

我像做梦一样进了门，回头看那个检票员，他还在笑着跟我挥手。

我还是抱着试试看的态度找到了一位场馆保安，对他说了一下事情经过，希望他可以帮我问问看，是不是有工作人员拾到了这个牌子。

我抱着侥幸心理，万一可以找到呢？

保安穿着黑西装，拿着步话机，跟美国大片里的保镖一样。他听我讲述完以后，对着步话机简单说了几句情况，然后说："请您稍等。"

真的是"稍"等。我没有夸张。两分钟后，一个保洁员阿姨出现在我的面前。

她的手里拿着我的存包牌。

我满心只有一句感慨：这是见证奇迹的时刻！

她红着脸，向我不停地致歉："对不起，小姐。我在卫生间看到这个包牌，没有及时寻找到您，是我的不是。让您担忧了，扰乱了您的行程，请您继续安心游览吧。"

我受宠若惊地连连摆手，一迭声地说谢谢。

黑衣保安上前一步说："小姐，可能您是初次来台北故宫博物院，不是很熟悉情况，我们可以送您去下一个展厅。"

然后，我就在几位高大英俊的黑衣保安的热情"护送"下，梦游一般晃晃悠悠地到了下一个展厅。

——简直是不可思议的童话般待遇。

结束游览时，我又回到存包处。

见我拿着牌子，姑娘露出很开心的表情，并没有问我是怎么找到它的，动作麻利地把包交给了我。

我对她道谢。在我即将离开的时候，她对我微笑着说。

"小姐，希望这件小事没有影响到你游览的心情，也没有影响到你对这座城市的印象。希望你下次还能再来台湾，故宫博物院欢迎你。我也欢迎你。"

我对她真诚致谢，并感到深深的温暖。

这是属于台北的失物启示。它简短，看起来也没什么深刻寓意，但却真实的发生并给予我感动。这样的平等、相信、尊重，人与人之间和谐的关系本该是顺理成章，只因我们见得太少，因此格外弥足珍贵，所以我忍不住把它写出来分享。

事实上，我十分愿意写出台北带给我的所有的触动，每每提笔时却发现极微之处难以赘述。

如果用饮品来形容一座城市，北京像啤酒，大气豪爽人人可享；上海像洋酒，奢华里带点寂寞；香港像可乐，刺激的感觉总是匆匆；台北却像茶，时光久远，回味悠长，纯朴柔和，暖意融融。

也许它也有许多并不美丽的地方。只是幸运的是，我与它在许多美丽的瞬间遇见。

离开台北那天下着蒙蒙的细雨，我想到即将离它万里之遥，忍不住有些惆怅。

朋友却说："再见，是为了下一次更好的再见啊。"

是的，台北是那种你抬起手来说再见时，却丝毫不会感到距离的城市。你毫不怀疑终有一天你会与之重逢。大约是因为他们与我们本就一脉相承，更因为他们生活得如同另一个梦中的我们。

何处是梦，何处是醒，又有谁说得清呢？

西藏的美丽与痛苦

如果有一天我死去了，我会发个短信告诉你：再见，我去西藏了。

第一次前往西藏之前，我并不是心甘情愿的。

很多人对我形容过西藏的美丽，以及高原反应的种种不适，也曾看过几篇高原上发烧结果断送了小命的报道。更有朋友调侃我：你这173厘米的身高，连氧气的需求都比别人多些，肯定也比别人更难以适应。想想也有几分道理，虽然内心憧憬那片风景，终于还是打了退堂鼓。

直到2012年，被告知要去西藏完成一次公益慈善活动，赶鸭子上架，只好硬着头皮答应下来。

进藏的前一个星期我几乎每天都要咨询一位曾几度进藏的朋友，提问提到她烦透了。"带羽绒服合适还是冲锋衣？""穿雪地靴还是登山鞋？""睡袋到底买几度的？鸭绒的还是纯棉的？"

她对我说："进藏没有那么可怕，你不要这么紧张。"

我点了点头，然后问："你说我到底是拖个旅行箱还是背个包比较好？"

我们这一次的慈善活动是为阿里的小孩子们捐助棉衣。此前我对于阿里只有耳闻，知道那是一片苦寒之地，降水量少，气候寒冷干燥，常年大风，冬天更是经常降到零下四十摄氏度的低温。而那里的孩子常年只着单衣，尤其到了冬季，日子更是难熬。我们此行便是带着艺人与一些慈善人士捐助的8900件棉衣和3000条围巾进藏，给孩子们送去一份心意。

我不知道是不是所有初次预备进藏的人都会像我一样慌乱，这个也想带，那个也想带，塑料雨披救援哨子各种品牌的巧克力塞了满满一背包。

我买了能买到最厚的羽绒睡袋，在家里把它拆开再装上一次，就累得气喘吁吁不能自已。不由得想，这哪里用高原反应，每天叠一次睡袋就足够缺氧昏倒了。

西藏的天一如想象中的蔚蓝透明，出了机场便有当地的藏民朋友送上洁白的哈达，我们连声称谢。

等车的时候，出于好奇，我结结实实地原地蹦跶了两下，摸摸胸口，觉得呼吸均匀，心跳正常。又用力吸了两口纯度颇高的清新空气，舒坦极了。于是飘飘然想着这人人闻而生畏的高原反应也不过如此，自己未免太过小心了

——事实证明，西藏是会给像我这样"愚蠢的人类"以深刻教训的。

前两天是适应期，可以在拉萨自由活动。我们去朝拜布达拉宫，八廓街买些喜欢的藏饰，也在大昭寺的佛像前虔诚祈祷。至此的西藏，一切都符合我的想象，美丽而庄严，宁静又神圣。

第三天的凌晨，我们正式踏上前往阿里的旅程。

我们一行十五人，分别来自不同的城市，有艺人、经纪人、文化公司老板、慈善人士、媒体从业人员……彼此互不相识，仅是因为一起做了这样一个捐助活动，才聚到一起。彼此互相介绍一番，聊聊天也就熟络了。

此行的战线拉得很长：拉萨—改则—普兰—日土—狮泉河。第一天就是最艰难的，凌晨 5 点 30 出发，驱车 1300 多公里奔赴改则，预计到达时间是夜里 12 点。每辆车上只配备一位司机。

如果让我回忆那一天的旅程，只有五个字：美丽与痛苦。

漫长的驱车时间虽然难熬，恶劣的路况才是最折磨人的问题。我们运气不好，出发前一天刚刚下过大雨，本就崎岖的路变得更加泥泞颠簸——在整个旅途中，几具身体在车厢里丝毫不受控制地飞来飞去，上一秒钟还老老实实地坐在座位上，下一秒钟头就"砰"地狠狠撞上车顶，或者脸像一张印度飞饼似的摔向车窗，"哎哟"、"好痛"的叫声不绝

于耳。用同行朋友的话来形容就是：我觉得自己被扔进了一部全自动洗衣机里，反复漂洗和甩干，五脏六腑都移了位。

急速升高的海拔也开始导致高原反应，一些同伴开始呼吸困难，头痛及呕吐。还好我们准备充足，每辆车上都备了一个大大的氧气瓶，一旦高反发作得特别难受，就可以猛吸几口临时救急。

我也开始不适，幸好常年出差的身体还算禁得起折腾，虽然轻微眩晕，但是并没有头痛恶心的严重症状出现。

车行班戈县，队伍中有人的血氧含量低至罕见的45，吓了我们一跳。因为这已经是非常危险的数值，血氧含量过低的队员随时可能被遣返，以防止出现安全问题。还好随着吸氧与随队藏医的帮助，几位队员的血氧含量都慢慢回升到相对稳定的正常值。

与艰难的旅程形成鲜明对比的，是一路壮美辽阔的西藏风光。

蔚蓝如绸缎的天空、如哈达般大朵大朵的白云、浩瀚奔涌的雅鲁藏布江、明净如天堂之镜的纳木错湖、被冰雪覆盖的"神山之王"念青唐古拉山、一望无际的广袤高原、随处可见的五色经幡……

我坐在副驾驶的位置，一路视野颇佳，只觉得如诗如画，大脑不停传达着倦意沉沉的信号，却完全不舍得闭上眼睛，生怕错过每一处风景。因车行颠簸带来的不适与眼前的心旷神怡每一秒都形成巨大冲击，实在是很妙亦很难以形容的另类感。

黄昏时终于暂时停下车。我有些奇怪，问为我们开车的藏族司机大叔："怎么忽然停了？"他一边往嘴里狼吞虎咽地塞着牦牛肉干一边含糊地解释，我听了几遍才明白。原来此刻的夕阳正从我们眼前落下，光芒太过耀眼。为免发生事故，要等到夕阳落尽才能继续前进。

我下了车，站在被夕阳染成金黄色的原野之上。

晚霞绚烂，流云涌动，身畔的车窗折射出如皇冠宝石一般的璀璨光芒，呼啸的风声掠过耳边，远处是安静的山川，蜿蜒着渐向天边，在霞光中镀上一圈绚丽的边缘，最终与夕阳融为一体，仿佛一幅绝美的风景大片。

同伴们纷纷欢呼着跳起，试图留下"飞跃高原"的身姿。快门声不绝于耳，队长喊着不要消耗体力这可是高原，传入耳间却细如蚊呐……

那一刻只觉得自己如此渺小，无非这漫漫天际下一个剪影，可又忍不住想要微笑，因为正存在于此处，与这般瑰丽，合而为一。

车子继续前行。夜深了，时间越来越久，能撑住的人已经不多。我们陆续迷迷糊糊地睡去，再一个激灵地在颠簸中醒来。天色黑下去，偶尔可以能看到车灯晃过前面颠簸的石子路，一两只野兔和羚羊慌乱地跃开，也惹起小小的惊呼。

同车的一个女孩晕车加高反，是呕吐得最厉害的一个。她已经筋疲力尽，问了不止一次还有多久会到，而司机回答永远是："快了，快了。"

晚上十点的时候，所有人都陷入了一种近乎绝望的情绪当中。疲惫但无法入睡，精力已经完全透支，即使最有活力的人也不愿再开口讲一个笑话，车厢内陷入了一种诡异的沉默中。

路况愈加危险，我曾几次借着车队的灯光看到身畔半米处就是黑沉沉不见底的悬崖，悬崖下就是哗哗的水声，冷汗顿时出了一层。加上车子始终在飞驰，速度丝毫不减，细思恐极，于是索性当起鸵鸟，听天由命罢了。司机已经疲惫不堪，我们虽然累得不行，也只好勉力想些话题，与他断断续续地聊天来维持精神。

每个人都在祈祷：改则，快些到吧。

午夜十二点的时候，前方还是一片渺茫的黑暗。

得到通知，由于路上为躲避夕阳，因此原定十二点半的抵达又被延迟了。

我们连崩溃的力气都省了，如果可以看到此刻每个人的脸，大概除了呆滞与麻木，也不会有任何多余的表情了。

凌晨一点半，我们终于抵达改则。

在凛冽的寒风中哆嗦着下了车，蓬头垢面的十五个人钻进一个狭小破烂的饭店，这里很温暖，店主端上大碗的牛肉面和凉菜，却没什么人有胃口吃下去。有人靠在旁边抱着氧气瓶子大口大口地吸氧，大多数人则在沉默。

吃完饭回到住处，已经完全不会去挑剔床铺的潮湿狭窄，铺开睡袋，脑袋挨到枕头后，大概只用了十秒钟就迅速睡熟过去。梦里，是高原上的如墨夜空，密密麻麻闪耀着如碎钻般的流离星光，不知是幻是真。

在改则的每一分钟，都在用力呼吸与用力工作。

我们为2000多名小学生发放棉服，这也是我们第一次看到成品样衣，棉花质量很好，摸起来又厚又结实，为了耐脏，一律都做成了暗色（因为阿里常年严重缺水，人们很久才洗一次衣服）。孩子们非常乖巧，在操场上早早排好了队等着我们的到来，我们不忍心让他们在寒风中多站哪怕一分钟，于是连忙拆箱，分包，开始一件件地派发。

在高原上派发衣服也格外消耗体力，不但要搬运巨大的衣服包裹，还要大声喊着尺码，为孩子们一件件穿上。在孩子们叽叽喳喳的笑闹声中，我可以清晰地听到每一个同伴从胸腔里发出的费力的粗重呼吸声。西藏强烈的阳光直射下来，但却感受不到一点温度，汗水流不出来，胸中却像聚着一团火。

同伴在一个小小女孩的面前跪下，他完全不顾及自己身上那件昂贵的万元外套，用袖口轻轻为她抹去鼻涕，帮她调换衣服的尺码，再帮她细心地拉好拉链，围上围巾。那女孩忽然向他敬了个队礼，他一愣，忙忙从地上爬起，站好，规规矩矩学着她的样子回了个礼。

我为他们拍照，每个孩子的脸上都带着明朗自然的笑容。丝毫没有因生长在这样的环境里，而在眼神里带上任何一丝的忧郁哀伤。他们挤挤挨挨地试图抢进我的镜头里，大声地冲我呼喊着藏语，然后又不好意思地笑起来，惹得每个人都忍不住要跟着他们一起笑。

我们买了几大口袋的彩色棒棒糖，抱出来一个个分发给他们，每个孩子的眼里都亮起来，却没人上来疯抢。我们塞到他们手里，孩子们怯怯地，露出感激又渴望的目光。有年纪较大的女学生，帮助老师把所有的糖纸都一张张收集起来，十分懂事。

我们这一行人，有身家不菲的老板，商场上勾心斗角游刃有余；有万众瞩目的艺人，声线优美长袖善舞；也有城市中普通一员白领，每天累死累活还要挨骂受气强颜欢笑……可是那一刻，每个人都只是笨拙地给每一个孩子穿上衣服，脑海中一片空白，没有任何多余的想法，没有身份与思想的距离，没有计较、没有挣扎、没有利益，除了这些纯净的笑脸，别无他求。

大家聚在一起，我举起相机高喊："一、二、三——茄子！"
孩子们听不懂，却依然灿烂地大笑和欢呼起来——我按下快门，阳光灿烂，每个人身上都灰扑扑的，脸上带着高原红，笑容却都无比明亮飞扬。

我喜欢这样的画面。

临走的时候，我们上了车，孩子们自发地聚拢起来，围着车。

我们摇下车窗，把包里剩的糖果、巧克力还有零食塞给他们，我们怕孩子们离车太近伤到他们，做着手势让他们退后。

他们听话地退后了一点点。车子慢慢地开动了。

忽然，没有任何预兆，也没有任何人带头——

所有的孩子一齐用他们刚刚学会的生涩的汉语冲我们喊了起来。

"谢！谢！再！见！……谢！谢！再！见！……"

他们用力地挥舞着小手，声音在寒风中带着微微的颤抖，却坚定整齐，清脆响亮。

我愣住，然后眼泪一下子流了下来。

我害怕同车朋友看见，连忙用手去偷偷擦，却听见身边轻轻的呜咽声。

这才发现全车人都哭了。

我无法形容那时自己的心情。如果你不曾亲眼所见那样的画面，那样的真挚，你终无法体会那样自然流淌的泪水。

没有一丝夸张与造作，我从未被这样直接的感恩所打动过，他们的表情如此纯真，对于他们来说，这是一群真心对他们好，为他们带来温暖的人。他们理应用这样的方式，来对我们表达他们的感激之情。

我们何德何能？

那天的晚餐，我们吃着方便面，没有人说话。

这是高原给我们的初次洗礼，也是最纯粹的洗礼。它让我们收起最后一丝对此行的游戏之心，无论是对这片神圣的土地，还是在这片土地上生活的真诚的人。

此后的几天，我们走访更多的学校，发放了更多的棉衣，也见到了更多的孩子。

然而我的脑海里，始终都是那个呼喊着谢谢和再见的画面。

我们曾多么百无聊赖又愤世嫉俗地活着，我们抨击着生存环境的恶劣，社会的压力，家庭的负担，难以喘息的一切一切……我们大多数时间都在抱怨和贪婪，极少想过这世界其实已经给了我们太多太多，出生本已是一场繁华，生长得饱暖，还有什么不堪满足。

而对于那些孩子来说，一件可以御寒的棉衣，一根甜甜的棒棒糖，一个拥抱，一个笑容，一个举起相机的动作……都可以那么轻易地让他们感受到快乐。他们对于幸福的期待值像一个空中的气泡，剔透美丽也脆弱单薄。

在阿里的最后一夜，宿在神山冈仁波齐下的村子。没有窗口的简陋小房，停电，房间只能点根蜡烛勉强照明。洗脸的水寒冷入骨，大家累得连饭都吃不下。4700 米的海拔，导致队伍里多数人的血氧都降到了 50以下。而我，也前所未有地感到了高原反应真切的痛苦之处。

那一晚我辗转反侧，脑袋里像有一块铅一样，沉重又带着钝钝的疼痛，呼吸困难，浑身无力，困得要命却不时被缺氧的反应惊醒。我开始迫切地期待天亮，因为天亮了，我就可以去院子里站一会儿，起码清新的空气可以让我好过一些。

迷糊到六点左右，我正打算从睡袋里钻出来，耳畔的电话响了。

接起电话，是一位同伴，声音很急切："有人昏迷了，快来！"

昏迷了?!

我一激灵，一个猛子从床上坐了起来——

事实证明，"不能在高原上剧烈运动"这句被千叮咛万嘱咐的话，一定是有其存在的道理的。

下一秒钟，我完全无法控制，"哇"地吐了出来！

人是吐了，可意识却是十分清醒的。我一边用手狼狈地捂着嘴，一边跌跌撞撞地往门外冲，同屋的人已经被我惊醒了，迷迷糊糊地在问："怎么了怎么了？"

我顾不上回答，跑到水池边，用冰一般的水胡乱漱口，又洗了把脸，用力呼吸了两口窗外吹进来的山风，这才感觉自己好一些了。

进到房间，人果然已经昏迷了。身上盖了两层大被，脸烧得通红，怎么叫都叫不醒，还在不停地说着与工作有关的胡话。

"这段不能这么写……"

我哭笑不得，也不知是不是该夸他敬业。

队长和随队藏医也赶来了，藏医格桑极有经验，一看这情况就连声喊着把氧气瓶拿来，让人先吸氧。又随手拿出一支体温计，量起体温来。"没事，38度2，打一针就好了。"格桑一副胸有成竹的样子。

我皱皱眉，听起来并不是很高的体温，要打针吗？

"要打要打。"格桑笑眯眯地拍拍我的肩："没事的！"

然后他麻利地变出了一个极粗极长的大针管，我瞠目结舌地看着那根针，以为他是把给牦牛打针的工具带来了。

"必须要用这个，药水比较好推。"格桑解释着。

我简直不忍卒睹。想着还好人已经昏迷了，大约也感觉不到痛了吧。

一针下去，又挂上点滴，人果然安静了许多。

同行的人都已经醒了，陆续到屋子里探望，有人问："今天还能出发吗？"

格桑依旧笑眯眯，"没问题的，他休息一会就好。"

我半信半疑地看他，却也无计可施。

过了半小时，格桑又拿出体温计，"再量量。"

他对着阳光看体温计，"降下来了，38度2。"

我差点没一跟头栽倒，"你说什么？刚刚打针前你不就说38度2吗？怎么一点没降！"

他狡黠地笑，"打针前是39度2，我怕你们害怕，没说实话。"

我简直要吐血，"还有什么是你没说的？"

"你们很幸运，发现得早。如果发现得再晚一点，就会转成肺水肿，那可是生命危险了。"他正色，又眨眨眼，"不过，现在有我这个救命恩人在，他没问题了，再过两小时，就又是一条好汉！"

肺水肿我知道，此前曾有几度进藏的友人告诉我，他们曾有一名队员中途发烧，全身浮肿，连灌他喝水都喝不下，最后送到附近的军营找军医急救才得以活命。据她描述，当时那男生全身的血稠到无法让针管插入，如果再晚些，就要魂归高原了。想想生命如此脆弱，自己当初还如此轻视高反，真是后怕。

格桑没有说错，两小时后，躺在床上的人已经醒来，并喝下两大碗白粥配酱菜。

问起刚刚发生的事，他茫然摇头，一无所知。

真幸福。

我摸摸后背冷汗湿过两层的衣服，长长地松了一口气。

那一天上午，我在神山脚下站了很久。

这圣洁的山峰，终究是护佑着那些心存善念的人的。

我忽然想起了一个朋友给我讲述的西藏之行。

她是一个标准的"驴友"，与论坛上的朋友们相约马年去西藏，拜神山。

马年的意义不必多说，等了几年，终于盼到那一天，一起踏上旅程，心中愉悦自不必说。一路风尘坎坷，克服重重困难，即将行至神山。

谁知天降大雪，堵住去路，大家齐心协力清积雪，渡冰河，然而在距离神山还有几公里的地方，彻底无法行进了。

此刻他们爆发了剧烈的争吵，两拨人意见分歧，以朋友为首的几个人觉得既然已经到这里了，为什么不能再努力一次？而另一拨人则认为出来玩没有必要冒险。两方僵持不下，最后决定投票表决。

最终，朋友一方以两票之差落败，车队决定折返。

知道无力回天的那一刻，朋友与另一个女孩相拥放声大哭。

她说：那种不甘心，比失恋还痛苦。

我临行之前，她给我打来一个电话，说：请你帮我好好地看一眼神山。

我说好。

她说你信么，神山，真的是有灵性的。

它那么平静，其实无所不知。

临行前，我向着那片洁白，深深地地弯下腰去。
再见，神山。
再见，阿里。
再见，西藏。

在从拉萨回北京的飞机上，我闭上眼睛。
恍恍然，都是那片蔚蓝与洁白。

其实朋友给我讲的那个西藏之旅的故事，还有一个未完的结尾。
从那次西藏回来以后，与朋友一起坚持前进的那个女孩儿，毫无预兆地突然与他们失去了联系。
电话不通，短信不回，论坛也不上了。总之，这个人彻底消失了。
就这样过了大半年，很意外地，有人又联系上了她。
于是说大家一起聚一下吧。她答应了。她出现在饭桌上的时候，所有人都吓了一跳。此前那个年轻可爱，神采飞扬的女孩子，居然变得面色憔悴蜡黄，头发掉光，身体瘦得仿佛风一吹就倒。
有一个学医的女生试探着问她是不是身体不好？在吃什么药？她迟疑了一下，还是报了两个药名。那女生怔了怔，随后就沉默了。
趁她上卫生间时，大家问是治什么病的药？女生叹息了一声说：肺癌，晚期。
大家惊愕，全都沉默了。

我的朋友回家后越想越是难过，便给那女孩儿打了个电话，询问病情。

　　女孩儿的声音听起来很平静，她说：没什么，虽然没去成神山我很遗憾，但去过西藏，我已经很感恩和满足了。将来有机会，你再替我到那里，拜一拜，看一看。

　　朋友说：我们等你一起去。而且你那么喜欢旅行，应该去更多的地方看看，一定可以的。

　　女孩儿笑了，笑得很开心，笑完之后就是沉默。

　　沉默了一会儿，她忽然轻轻地说：

　　如果有一天你们再也找不到我，就当我去西藏了吧。

　　我们都曾在陌生的土地上跋涉，相濡以沫。

　　我们曾并肩欣赏过那些奇绝的风光，遇见形形色色的面孔，经历那些曾经让我们哭过、累过、笑过、患难过、争吵过也感动过的浮光掠影。

　　这是旅行的过程，更是旅行的意义。也许很多年以后，我们会遗忘掉那些细节，然而它总能在某个时空交错的瞬间，突如其来地触动你的心底某处。

　　它总会带给你一些什么，是那些碌碌的生活所不能替代的。

　　然而又是你无法长久握住的。

　　有些地方，只能追寻，永难到达。

　　过了很久以后的某一天，朋友忽然接到了一个陌生号码发的短信。

　　她看着这条短短的信息，然后哭了。

　　"再见，我去西藏了。"

最好的给予

夸赞是最好的奖赏

夸奖这东西，比金钱更温暖，比升迁更文艺，

比奖状更惊喜，比赞歌更实际。

夸奖，究竟是怎样的一种美德？

去一对夫妻家中做客，妻子忙前忙后，在厨房中累得满头大汗，奉献出一桌美食。丈夫则悠然自得，坐在沙发里陪我们喝着冰啤酒闲聊。偶尔去厨房里探望一眼，也十指不沾阳春水，两手空空出来。

开饭时，我们大赞女主人手艺出色，又说丈夫好命，娶了个任劳任怨的好妻子。丈夫笑而不语，妻子却连连摆手。

"我老公人很好，我很高兴做这些照顾他，我心甘情愿。"

这真是让人惊讶的回答。

我观察他们相处，方体会出些许深意。

妻子在厨房做水果沙拉，丈夫走进厨房，随手拈了一块来吃。"老婆，我最喜欢你做的沙拉，酱的甜度调得刚刚好，真是好味。"

妻子换好衣服出门，丈夫看似不经意地帮她整了整围巾："老婆，这件大衣实在太衬你的肤色了，显得又白又瘦，好看！"

妻子脸上的笑容甜蜜又幸福，神采飞扬，人都年轻了几分。

丈夫是聪明的，他懂得用"夸奖"来获得和谐的夫妻关系。而另一对夫妻则相反，他们认为批评使人进步，因此不单单经常互相指责，也对孩子诸多挑剔。

母亲过生日，孩子用存了一年的零花钱，买了一个音乐盒送给母亲。母亲心里高兴，脸上却冷淡着："花钱买这些没用的东西干吗？还嫌家里摆不下啊！明天去退了！"

我眼看那孩子眼泪都要掉下来，父亲偏偏还在一旁添油加醋："这孩子从小就跟你一样，就爱乱花钱！"

第二天，孩子真的去把那个音乐盒退掉了。母亲又有话说："好不容易送我个礼物，还给退了，真是白养你了！"

我记得最后一次去他们家做客，我为孩子买了一件漂亮的童装，孩子很喜欢，在镜子前转来转去地看。母亲却嗤之以鼻："你那么胖，把这裙子撑得满满的，太糟蹋你阿姨的心意了！"

谁知，一贯逆来顺受的孩子忽然转过身来，她的眼睛里含着泪水，大声地说："妈妈！从小到大你从没夸过我，全都是批评！我不想听你的批评了！求求你夸夸我！你不是对那些讨饭的人都很心软吗？还给他们钱。你能不能就把我当成一个讨饭的？施舍我，夸我一次就好！"

母亲被这样的话惊愕在当场，女儿眼泪长流地站在她的面前，两个人久久无言。

那是我看过最心酸的画面。

很多人觉得，你是我的亲人、爱人、朋友……你应该是最包容我的。所以在这些熟悉的人面前，我们肆无忌惮地发表自我的观点，不注意措辞，不考虑对方感受，只是直通通泼冷水，挑毛病，简单粗暴地阐述对方的缺点和问题。

我们却没想过，人非草木，终有无法承受的一天。那些曾经贴心温暖的情感，就在一句又一句"直率"、"坦白"、"实话实说"的伤害中渐行渐远，最终消弭于无形。

在我的小时候，父母教育比较严苛，很少夸奖我。我的成绩普通，同学关系也一般，因此从来都没有自信。直到我在高中时，遇见了一个同桌女孩。

当时在我看来，她的硬件条件大约和我差不多，可她却永远自信地扬着头，同学和老师都很喜欢她。

有一天，我对她诉说了我的苦恼，她对我说：

"你为什么不能骄傲呢？你五官端正，身材高挑，家教好，人善良。虽然我们都不是优等生，但能在这所省重点中学就读，已经是很厉害的事情了。虽然你数学成绩不好，可写作那么棒，有那么多发表的作品，将来也许可以当作家啊。父母也很疼爱你，不缺学费和零花钱。你可知道，拥有这么多的你已经让多少人羡慕了啊。"

她每说一句，我便觉得自己的脊背挺直了一分。当她说完这些话以后，我几乎觉得，自己已经是个完美的女生了。这在此前，简直是不可想象的。那也是我第一次深刻体会到"夸奖"的力量。

多年后我与这位女孩重逢，对她提起当年的话。她却说完全不记得了，任我再三形容也完全没有印象。

她不知道的是，正是那些湮没在岁月烟尘中的"不记得了"，那些无意识的赞美与鼓励，它们却无声无息地改变了一个普通女孩儿的命运，在此后的日子里，让我更自信，更快乐，完成了许多在此之前不敢幻想的事情，陪伴我直到今天。

　　人人需要夸奖。即使如今社会，各种"好话"已经满天飞，然而适度的赞美还是可以轻易令人无法自控地身心舒畅，在人际交往中无往而不利。

　　职场上的夸奖更为难得，因为彼此存在竞争关系和利益关系，大多数人吝于说出真心的赞美。朋友曾对我抱怨过，她熬了几晚做出的长篇文案，领导却连读都没有读完就扔在一旁；也曾有过费尽唇舌谈下的合作，同事冷冷一句"这种工作根本毫无意义"。即使已经锻炼出一颗不会轻易为之动容的金刚心，也难以负荷，难免伤怀。

　　我们很难听到一句纯粹的夸奖，不含任何杂质的，发自肺腑的"你真棒"！然而在筋疲力尽时，这却是最为渴求的良药。

　　我曾经招聘过一个刚刚毕业的女孩儿，她第一次把她的稿件交给我的时候，我起码皱了十几次眉头。语句不通，错字不少，连起码的"五W"都不懂。我几乎动了立刻请她走人的念头。

　　可是仔细想了想，我还是忍耐了下来。我认真把稿件改过一遍，然后告诉她：你写得很好，创意很新颖，思路很准确，只是有些语法上的问题。你认真看一遍改后的稿子，相信下一次你会做得比这一次更棒。

　　一年以后，她已经成为我离不开的左膀右臂。每一次的稿件都不用改动哪怕一个标点符号。她常常提起当初第一次写稿子时的忐忑。"当时写完以后自知差得离谱，甚至已经开始怀疑自己是否真的可以适应这份工作。我想，如果没有那句你的肯定，我大概已经离开这个行业了，更不可能有今天的成绩。"

她看着我的眼睛闪闪发光，"谢谢你为我带来的一切。"我报以微笑，然后告诉她，我也同样感谢她。

因为她说出的这些话，也是对我最好的夸奖。

其实在这个世界上，我们拼尽全力去做每一件事情，并且试图做到最好，所有的付出，难道不是在像开篇那个孩子一样，在苦苦渴求这个世界的奖励。

夸赞，就是最好的奖赏。

它比金钱更温暖，比升迁更文艺，比奖状更惊喜，比赞歌更实际。

夸奖也许不能证明一切，然而却能证明我们曾经的努力，存在的价值。证明我们生活在一个更好的世界，并对明天的一切充满期待。

请你夸奖我。我不会对任何一个人这样卑微地开口，可是当你看到我疲惫的眼睛，那已经是无声的渴望。

别吝惜夸奖，对于你来说，那只是举手之劳。

并且我知道，其实你也拥有同样深深的期待。

因为从你的眼睛里，我也可以看到。

这世情如潮水，时涨时落，却永不断绝
你有七年之痒，我也有十年生死两茫茫，不思量，自难忘

我们留在这里，从来不是身不由己，而是选择在这里经历生活

那是我见过最动人的沉默
每一次回忆起来，还带着白蔷薇的淡淡芳香

何处生活不苦楚。然而，何处生活不幸福？

老板，给我一杯待用咖啡

我们人微言轻，却不必独善其身。

家中请过一位菲律宾女佣。

这位女佣年纪很大了，做事很认真，只是因为生活拮据，她又有两个孩子要养，难免偶尔会贪些小便宜。比如把我们吃剩的菜，或是放久了有些烂掉的水果，甚至旧杂志和旧报纸都会打包带回家。每次结束工作的时候她都会拎着一个大大的暗色的手提包离开，沉甸甸的，也看不到里面是什么。

久而久之，母亲就有些不悦。她是精打细算的人，便与我抱怨："下次她走时我要检查她的手提包，不能再让她带走那么多东西！"

我说："何必那么苛刻，那些东西肯定是我们不想要的啊。"

母亲坚持要查清楚："我们送给她的，她可以拿走；但是我怎么知道她有没有在袋子里塞进别的东西？不看过，终归是不放心。"

我劝她："如果查过一次，她必然尴尬，以后还怎么见面做事？她来家里这么久，也没丢过贵重财物，说明大事不糊涂，手脚也干净——至于其他的，她瘦瘦小小一个人，能拿走什么？从柴米油盐到书报笔墨，即使送给她，又值几个钱？就当帮助她改善生活了。每年我们做慈善的钱也有不少，为什么要对身边的人吝啬善意呢？"

母亲想想，终于不做声了。

后来过了几年，那女佣辞工了，临走时送了我们一块大大的，五彩缤纷的菲律宾特色手工地毯，厚实绵软，漂亮极了。她红着脸说，这地毯是她自己花了几个月的时间亲手做的，当作告别礼物。我们十分惊喜，连声感谢。

她又说：“这几年在你们家，真的，很好。虽然我不会讲，但我都懂。你们把我像家里人一样对待，信任我，帮助我和我的孩子，我很感动。”

她临走时拉着母亲的手，泪水盈盈，手里还拿着那个旧手提包。她说：“谢谢您，从没问过我。”

我偷眼看母亲，她眼里也已有了泪花。

在国外超市里购物结账，排在我前面的是个小流浪儿。

他买了一块 1.4 欧的面包，掏钱的时候磨磨蹭蹭，好不容易才摸出两个一欧的硬币放到收银台上。

那位美丽的金发收银员看了一眼，忽然开口问他：“我们可以做朋友吗？”

男孩愣了愣，似乎被这突如其来的奇怪问题给吓到了。那店员又问了一遍，男孩不知所措，我轻轻推了他一把：“Say yes！”他小声地说了。

店员把其中一枚硬币推回来，又从抽屉里数出 0.3 欧一起放到他面前。

“我们店最近有内部促销政策，店员及亲友每天有购买一个半价面包的权利，你现在是我的朋友啦。”她动作麻利地把面包装进牛皮纸袋里，笑眯眯地递给他。

“所以，我有这个荣幸帮你买面包吗？”

在青海流浪过一段日子。

有段时间大概是运气不太好，租用的车子常常抛锚。结果有一天晚上到达指定的住处时，所有的旅馆都已经满员了。我们又困又饿又累，与司机四处寻觅，终于在青海湖边找到一家小小的帐篷旅馆还在亮着灯。

我走进去问老板是否还有房，老板是热情的藏民，汉语也说得不错，说有的，跟我来吧。然后他带我们来到了一间很干净的房间。房间里摆着几张私人的照片，地上也有看起来被使用过的拖鞋与脸盆，这似乎不太像一个旅馆，更像一所私人住所。

那位老板看出了我们的疑惑，笑着解释，这房间是他自己的卧室。

原来那段时间青海游客猛增，但附近的旅店少得可怜，经常有旅客寻不到床位，万般无奈只能在车上凑合一晚，青海的夜晚很冷，有人也为此而感冒生病不得不中途折返。这位好心的老板为了让更多的人可以休息，从旺季开始就一直睡在小帐篷里，把自己的主卧空出来，就是每晚等无房可住的人前来投宿。

他笑得憨厚："你们住吧，不收钱。"

我们吃了一惊，连忙说那绝对不行，他却坚持说你们住的不是旅店，只是我家，你们都是朋友。无论怎么推让，他都不肯收钱。

第二天早上，我们起床时发现老板准备了热腾腾的羊肉包子和粥做早点，他已经早早出门去放牧了。

临走时，我们没来得及与他告别，但终于还是在枕头下放了些钱。我们留言给他，说你可以不收我们的钱，但这是帮下一位投宿的人付出的费用，请务必笑纳。

我不知道他能否看得懂那张字条，但他应该懂得我们想要告诉他的话。

读过一个故事。两个朋友来到一个小咖啡馆，正当他们端着咖啡准备坐下时，又有两位客人径直走到柜台前说："老板，给我五杯咖啡，两杯给我们，三杯待用。"然后他们付了五杯的咖啡钱，端着两杯咖啡走了。

一个人问朋友："什么是待用咖啡？"

"等一下你会明白的。"

这时，进来一位衣衫不整看上去像乞丐的老者，他轻声地问老板："请问现在有待用咖啡吗？"老板笑着点头，端给他一杯咖啡，老者捧着咖啡慢慢地啜饮，露出幸福的笑容。

"待用咖啡"是那不勒斯已衰落的传统。2008 年，那不勒斯的作家 Luciano De Crescenzo（卢西阿诺·德·克雷桑佐）写就了《待用咖啡》这本书，希望光复这个温暖的传统。书本带着意大利南方人特有的可爱：如果当天一个那不勒斯人心情好，可以付两杯咖啡的钱，第二杯咖啡则送给后来人，好像自己请全世界喝了一杯咖啡。

在世界的许多国家，目前都有类似的分享。有些地方不仅可以买待用咖啡，甚至还可以买待用三明治或者一份晚餐，提供给那些需要帮助的人们。

我们往往想在成功以后，再给予这个世界一些看上去"庞大的"、"震撼的"慈悲回馈，以慰平生。比如一位朋友对我说，"等我赚了 500 万，我先捐两所希望小学！"

也有朋友说："我要是像比尔盖茨那么有钱，我也会兼济天下。"

然而渺小的我们，就注定要一辈子独善其身吗？

不经事不知善意可贵，不做事不知善人难求。

善良不是隆而重之或广而告之，而是日常生活中的随意、随性、随缘。

把手中的半块面包分给路边的流浪猫；在深夜买掉摊贩的最后一根糖葫芦；顺手帮动作缓慢的老人挡住快要关闭的电梯门……或者付两杯咖啡的钱，把另一杯留给那些需要的人。

当一杯咖啡成为可贵的流传，全世界都会感受到"勿以善小而不为"的细小温暖。

也许有一天，你走进一家咖啡厅，也会坐下来品尝一杯陌生人赠予你的待用咖啡。那一杯甜美香醇，代表的并不是施舍与怜悯，更多的是关怀、交流、鼓励和延续。

你不会知道你的善意将去向何方，但你知道它始终在每一个人的指间传递着，然后成为寒冷冬夜里的火苗，饥饿时的面包，摔倒时搀扶的手臂，哭泣时有力的拥抱。

你将惠及自身。你将永不孤单。

温暖的梯子，冰冷的手

千万别去深究，伸出手的人是因为太焦急，

忘记了自己有梯子的事实，还是从没想使用过那把梯子。

有位朋友生意失败，很是颓唐了一段时间。

我们都以为他会就此沉寂，谁知几年后他奇迹般地东山再起，生意做得比以前还大。

某次见面聊天，我问他是怎么重新起家的。他很坦诚，说："靠一个朋友。"

他说那时他有很多朋友，但是生意失败后统统不见踪影。

他难过又失落，想了又想，鼓起勇气约了自认关系最为亲密的朋友

A 出来聊天。对方应邀而来,听他倾诉种种苦衷,点头称是。又鼓励他一切向前看,要相信正能量,一定会有美好的明天。最后他们碰杯,朋友 A 主动买单,挥手道再见。

"这不是很好吗?"我插嘴。

他笑:"朋友 A 当时生意做得势头极佳,不说风头一时无两,却也是家大业大。我身处绝境,满怀期待而去。如果你是我,在这样一场见面后,你会是什么样的感觉?"

我沉默下来,仔细想想,心头确有一种说不出的滋味。

他又讲起朋友 B。

"我与他平素并无交集,却是他在最难的时候先约了我,他对我说,他那里有一个非常好的项目,他想到了我,希望我可以与他一起去做——其实我很明白,他生意做得虽然没有朋友 A 那么大,但是这个项目独立运营还是绰绰有余的,他个人盈利也更多,完全不用再加上我这个一无所有的拖油瓶。"他苦笑一下。

"从头到尾他没有赞美一句我的能力,也不聊什么友情,更没半句激励进取。他只是对我真诚地分析项目利弊,又主动提出先借我一大笔钱帮我渡过难关,阐述这个项目成功后我可以得益多少,不但能还清账目还能重新开始。"

"我同意了他的提议,然后我们用了几年的时间把那个项目成功完成,我赚到钱,然后再做新生意,直到今天,一切都好了。"

他轻舒了一口气:"那一场起落让我明白,一个人在困难时最需要的是什么——这样的好处是,一旦我真正的朋友出现问题,我知道该怎么做了。"

在泰国差点遭遇海啸的那一次,大家集体躲在酒店顶层如惊弓之鸟,生怕海啸真的来了，一个浪头就生生把这五层小楼吞没。

酒店的工作人员上来，不停地说："放心！没问题！这里一定安全！"但没有人相信，很多女孩子在哭。

他们又抱上来两箱矿泉水，免费发放，也没有人去喝。

这时从楼梯上来了一个皮肤黝黑的泰国人，他抱了一大堆橘红色的救生衣，见到人就往手里塞一件，还用蹩脚的英语大声叮嘱一句："It can protect you!"（它可以保护你！）

尽管心里清楚，一旦真的海啸，一件救生衣也是救不了命的。可奇怪的是，在把救生衣紧紧绑在自己身上以后，似乎真的多了一分安全感，那种巨大的恐惧也减轻了许多，人群终于渐渐安静下去。

当海啸警报解除后，所有人都欢呼起来。

然后大家围住那个泰国人，纷纷道谢。一位欧洲老人大声说了一句 —— "At that moment, life vest is much more important than mineral water."（在那个时候，救生衣比矿泉水更重要。）

有一幅在网络上流传极广的图画：一个人深陷在巨坑之底，在坑口有一个人向他努力伸出手来，但是两人相隔甚远，根本无法救起。

坑底的人看不到的是，坑口人的身边还斜躺着一把梯子。

电影《中国合伙人》中，成东青在关于公司上市问题争吵时，为了安抚孟晓俊，甚至给他买了一栋带花园地皮的超大别墅。结果内心骄傲的孟晓俊在推开别墅门后，却愤而离去。

王阳说：重要的不是成功，而是作为一个普通人，你不能丧失尊严。对于孟晓俊来说，尊严才是他需要的那把梯子，别墅则是那只看上去温暖的手，永远无法到达内心深处，无法拯救他的困境。

让他更痛苦的不是伸到面前的那只手，而是他忽然明白了一个残酷的事实，并肩的兄弟，居然从来没有真正了解过他。

还好，最后成东青为孟晓俊买下曾开除过他的实验室，用他的名字命名。那个画面令我印象深刻，孟站在实验室的门口，看着那块名牌，眼圈红了，一切冰消雪融。

梯子是冰冷的，手是温暖的。

然而在某些特定时刻，手冰冷入骨，面前的梯子却温暖入心。

遗憾的是，我们都是孟晓俊，却很少能遇见送出梯子的成东青。

本文开头的那位朋友，现在仍然与朋友 A 关系很好。

他对我说："我从不曾埋怨过他。在生意场上本来就是这样，帮你是情分，不帮是本分。"

只是两人再见面时，朋友 A 拍着他的肩膀豪爽大笑："我就知道你一定会成功的！我从来都相信你的能力！"

他笑着复述那个场景，说："你知道吗，那一刻，我居然愿意相信他的话是真心的。"

你甚至不敢也不能多想，在这个残酷的世界里，遥遥伸出的手，有几分诚恳的温暖。

千万别去深究，坑边人是因为太焦急，忘记了自己有梯子的事实。

——还是从没想使用过那把梯子。

气场人生

"疯狂原始人"亦乐于扮演一个教养良好、举止文雅的绅士。

这种环境，叫做"气场"。

去姐姐家做客，她六岁的儿子噼里啪啦跑过来，把小手在我面前一伸："小姨，吃蛋糕，我自己烤的。"

"喔？这么能干？"我惊喜地接过去，吃了两块，味道还真的不错。

谁知小家伙又把空荡荡的小手一伸："小姨，一共两块蛋糕，你要付我十块钱。"

"啊？"我第一次遇见这种事，有些尴尬。

他妈妈赶紧过来打圆场："别提了，我带他去以色列那边一个亲戚家长住了一段时间，体验异国文化，回来就变这样了。"

我顿时有点儿明白了。

对于犹太人来说，他们的教育体系就是合理的"生财有道"。

那家人有两个孩子，姐姐带着我的小外甥去的时候，他们家的大儿子先跑过来，拿着一堆玩具，两个小孩儿玩了个不亦乐乎。没想到玩完以后，大儿子居然拿出一个计算器，非要跟小外甥收 1 谢克尔 * 的玩具磨损费。

小外甥哪见过这场面，小嘴一瘪就哇哇大哭起来，姐姐哄了半天才哄好。

---

* 谢克尔：以色列货币单位，1 谢克尔约合人民币 1.66 元。

本以为这样下去，几个孩子肯定玩不好了，谁知时间一久，小外甥居然逐渐适应了这样的环境，甚至也学会了赚取自己的零花钱。那段时间每天早上起床，几个人抢着扫地擦窗户，因为每次家务劳动都可以得到 2 ~ 3 个谢克尔，小外甥甚至学会了先花钱去买葡萄柚，再用榨汁机榨柚子汁，在早餐时加价卖给几位大人。有意思的是，为了能卖个好价钱，在国内逼着他学的英文都进境奇快，让姐姐又惊又喜。

尽管如此，他的小脑子还是没转过两个犹太孩子。那两个小孩每晚都缠着他，让他讲中国的故事。小外甥第一次被这么众星捧月，自然洋洋自得，虽然中英文磕磕绊绊，加上手势比比画画，居然对方也听懂了大半。

结果到临走那一天，两个小孩才告诉他：他们其中一个孩子把这些故事讲给班上的同学听，跟讲评书似的，每听一段儿收一次钱；另一个干脆把故事润色一下，用电脑记录下来，打印成小册子，卖给同学，赚了一大笔。小外甥听得一愣一愣，简直不能相信自己就这么成了冤枉的"供应商"。还好两个孩子把小外甥喜欢的玩具送给了他，说是作为"故事成本"，这才让他稍稍找回了一点平衡。

对于小外甥要走的事情，两个孩子惋惜得不行，一再追问："到了中国能给我们邮点当地特产吗？一定可以卖个好价钱。"

"所以，"我姐姐无奈地拍拍手："我这儿子大受刺激，回来以后就一心研究着怎么赚钱，这小点心就是他非要跟我学着烤的，然后就卖给客人，还带到学校去卖给同学，因为这个事，前几天我还被老师找去谈话了呢。"

我听得直乐，转头看见小外甥还执着地伸着小手，只好乖乖付了十元钱。

在欧洲旅行，赶火车快要来不及，拖着箱子往马路对面的站台埋头狂冲，忽然我被朋友一把拉住。

"怎么了？"

她指指我头顶，义正词严："红灯。"

于是我们乖乖地与一群老外在路边等了好长时间，直到绿灯亮了才过去。

回到国内，我又与这位朋友吃饭，只见她隔着马路冲我招手，然后直直冲我跑过来。

我吓了一跳："姐姐，这可连斑马线都没有，你就横穿？多危险！"

她毫不介意地耸耸肩："不怕，你看，每个人都这么走！"

某篮球队比赛，一名矮个子球员在场上表现非常抢眼，得到很多女孩子的尖叫欢呼。

围观者好奇地问教练："他的身高不会影响发挥吗？"

教练摇头："没人认为这是个问题。"

"哦？"大家惊讶地打量着远处那个大概 1.6 米出头的小男生。

教练说："他父亲是篮球教练，他从小在父亲任职的队里长大，三岁就开始打球，大家那时候都觉得他是小孩，就带着他玩，没有一个人嫌弃他。后来他长大了，技术也越来越好，每个队员都觉得跟他配合默契，他的身高也就不成为劣势了。"

"不是他看不到别人高，只是他不觉得自己矮。"教练笑了起来。

前些年，由孟京辉导演，刘烨和袁泉主演的话剧《琥珀》在国家大剧院上演，我与朋友去看，刚走到大门外，就听到一个男人在粗门大嗓地打电话——

"我 X！怎么款还没到！再不到老子废了他全家……"

男人脏话连篇，脖子上都爆出青筋，对着电话那端骂得不停气儿，引得路人纷纷侧目。我们也加快步子赶紧进了门，生怕惹火上身。

没想到的是，这个男人居然跟我们同一剧场。

看见他走进来，我和朋友眼睛都瞪圆了。他的位置也离我们不远，我顿时把心提到了嗓子眼，生怕等下他忽然拿起电话，高声来上一句"X你妈……"

事实证明，我们的担心是多余的。这位男士自打走进这间安静庄重的话剧厅，就变得蹑手蹑脚，不小心碰到别人还连连赔笑致歉，简直与外面那个莽夫判若两人。话剧开始前他又接了一个电话，还用手捂着嘴说话，语气温柔得不行。不过仔细听听，内容居然还是没变："……你……他……妈……尽……快……打……款……"

我和朋友面面相觑，忍笑到内伤。

也难怪，在那种人人优雅，轻言细语的气场中，即使再"粗犷"的人，也会被这种氛围所感染。哪怕走出门再变身"疯狂原始人"，至少那一段时间里，他亦乐于扮演一个教养良好、举止文雅的绅士。

《三字经》中有言："昔孟母，择邻处。"孟母为了使儿子有良好的学习环境，从墓地迁至商贾之地，最终又迁至学宫，终曰："真可以居吾子矣。"

我也曾听过这样一位母亲，独自在偏远农村抚育三个孩子，每天晚上干完农活，给孩子们做完饭，她都会靠在床边，翻开一本书静静地阅读，直到灯油点尽。受她的熏染，三个孩子也都十分喜欢读书学习。最终三人竟全部考上一流名牌大学，轰动全国。有媒体去采访，发现家徒四壁，只有几本书摆放在墙角。记者好奇地问母亲："这就是您平时看的书吗？"母亲摇摇头："我一个大字不识，以前看书，都是装出来的。"

"气"是很有意思的词语：生气、运气、晦气、赌气、财气、才气……

每个人都拥有自己的"气"，这种"气"很容易影响到他人的心情、观点与态度，就变成了独一无二的"场"。

人是唯一可以接受暗示的动物。而我们给出的暗示，有些连自己都不自知。

一场争吵，让身心顿感疲惫，还会愤愤地指责对方："都是你的错。"

即使是对方的错。仔细想想，对方给出错误的气场，我们却不能消融，却给出反击的气场，两场叠加，戾气翻番，把两人牢牢控制在中央，更影响到周遭的氛围，痛苦、仇视、挣扎不休。想等到"气"彻底消散，时间也加多一倍。

相反，如果见人赞美一句："今天的打扮真美。"她必然下意识地回以微笑或同样赞美。那么两人之间无论是谈判还是闲聊，都会有了一个良好的"气"的开端，从而源源不断。所谓"伸手不打笑脸人"，只是因为"笑脸"营造出的是一个温暖的气场，连施加暴力都不好意思。所有身在其中者都会下意识地告诉自己：不要破坏这一切，因为我感到了轻松与惬意。

我们周遭的气场，耳濡目染着我们的谈吐和教养。尽管不能完全决定自身所处的环境，但我们至少可以选择为他人营造出正能量的气场。

小外甥的故事并未完结。我今年去看他，他不但不再卖我糕点，而且还主动拿出他私藏的一小筐车厘子与我分享。我有点惊讶，逗他："怎么不要钱了？"

他眼睛瞪得圆圆的："老师教了我们孔融让梨的故事，还说，做人要大气，大家才会喜欢你。"

我笑起来。

我应该告诉小外甥吗？因为上次的"受教"，我已经把那种犹太人的教育方式告诉给几位母亲，她们都觉得非常正确，纷纷开始在家庭里对孩子推行起"生意经"。

我忍不住想，如果有一天小外甥遇见受过同样教育的孩子们，他又会怎样？

我们终将成为被熏陶和改造的一分子。相信吗，你所带给这个世界的气场，正在无数未知中酝酿，并酝酿出更多未知。

这很奇妙，你不会知道，曾改变了多少永无交集的人生。

没痛过的仙人掌，怎么懂得把刺收藏

最好的给予，并不是以牺牲者的身份带走一身的刺，

而是让对方痛到再没有生刺的念头。

一对夫妻的分手闹得大张旗鼓。

女方请来了许多亲友，当着众人的面，批评丈夫在婚姻之中的离谱之处。

"女儿生病做手术，他不但不闻不问，还把家里的钱拿走一半，一个人去参加南极游。还美其名曰'要趁年轻多去冒险'。"

"他不喜欢工作，经常迟到早退，帮他联系了几家公司，都被开除或者劝退。这些年一直在靠我赚的钱养家。"

"他在家里不做家务，从来不记得我和女儿的生日，结婚纪念日我送了他一个名牌钱包，他转手就卖了，拿钱去打麻将。"

"我产后抑郁症，最需要安慰的时候，他说我装病。我最痛苦的时候用头撞墙，他还笑我在演戏，连演都演得不像。"

……

一桩桩一件件，听起来的确令人心寒不已。女方叙述得很平静，男方羞怒交加，在大家的声讨与感慨中，脸色愈加紫涨，又无法辩驳所有的事实。终于一气之下，拂袖而去。

事情到了这个地步，离婚已是无可挽回。两人迅速签署了协议，男方被迫放弃了房子与大部分财产，孩子跟了妈妈，女方也放出话来，不会让男方再见孩子。夫妻双方就此分道扬镳。

过了几年，大家再聚会，很巧，又遇到再婚的男方。

有意思的是，这个曾经被前妻批判得一钱不值的男人，如今对妻子与孩子照顾得无微不至。他给正来例假的妻子倒热水，细心地给小女儿剥开蟹壳，喂她蟹肉。哪里还是以前那个以自我为中心、油瓶倒了都不扶的大男子主义模样。

有好事者问他的妻子：丈夫对她如何？妻子立刻眉开眼笑，对丈夫的优点如数家珍："他热爱工作，上进，顾家，贴心。最重要的是，还懂得浪漫，所有的节日都不忘记给我准备小礼物和鲜花，嫁给这样的一个人，我很幸福，很满足。"大家面面相觑，简直不能相信听到的与我们认识的是同一人。

与男方聊起他的转变，他有些尴尬，但依然坦承：上一次婚姻的失败，的确给他带来了巨大打击。以至于再谈恋爱时，那些刺耳的话总是浮上心头，每每想起就如鲠在喉，极不愉快。

然而日子久了，他却渐渐发现，前妻那一次毫不留情的"揭疮疤"，反倒成了他的"爱情圣经"。他清晰地明白，在经营一段感情时，对方最需要的是什么，最排斥的又是什么。按图索骥，逐步克服，居然慢慢掳获芳心，修成正果。

后来，我们与他的前妻又见了面，聊起其前夫的第二次成功婚姻。她却没有惊讶，只是有些感伤地笑了笑，然后问我们是否看过一幅关于仙人掌的漫画。

我们自然是看过的。那幅漫画在网络上流传颇广：一个人紧紧拥抱了仙人掌，离开时带走了满身的刺；而第二个前来的人，顺利地拥抱了没有刺的仙人掌，从此圆满结局。

她说："我知道当初自己在那么多人面前挑明他的缺点，完全没有顾及他的面子，的确做得太绝太狠。可他就像那棵仙人掌，我固然可以拼尽全力带走他一身的刺，可若不让他觉得彻骨疼痛，他便无法醒悟，不能悔改。那么即使他遇见下一个更好的人，新的刺依然会肆无忌惮地生长出来，再一次双双受伤。

"人痛了，知道下一次不要再拥抱仙人掌；仙人掌痛了，才知道收敛起它的刺，不要再让拥抱它的人负伤。"她说。

我们都曾是仙人掌。

被爱的时候，从不掩饰伤人的锋芒，因为有恃无恐，觉得无论怎样肆意伤害，那个拥抱你的人，永远不会离开。

直到有一天，那个人忽然抽身而走，而最可怕的是，彼此挣开的刹那，连着刺带着皮肉，血淋淋的，痛得一哆嗦的时候，才明白什么是两败俱伤。

这记忆深入骨髓，终再难忘。

然后我们遇见下一个人，我们小心翼翼，我们如履薄冰，我们开始改变。

点菜的时候先询问别人的意见；唱歌的时候不再抱着话筒不撒手；

对方的生日、对方亲人的生日、纪念日和节日都记录在手机提醒中；送花不再随便拿一束就走，连里面夹了菊花都不知道。

在每一次谈话中温和地倾听，直视对方的眼睛，体会对方的心情；对方说"感冒了"，不是草草地说句"喝点水"，而是急急赶过去守候在身旁；不再开口就是"你爸你妈"，而是亲切婉转的"咱爸咱妈"……

还是会有伤处痒痒的时候，那是身体里开始蠢蠢欲动，想要生出新刺的欲望和挣扎。那便咬咬牙，生生把冒出的那一点刺头儿奋力挖掉，永绝后患。

因为看过结果，所以不肯再冒任何血肉模糊的风险。

这是上一个拥抱的人教会我们的事。

最好的给予，并不是以牺牲者的身份带走一身的刺，而是让对方痛到再没有生刺的念头。从此悉心经营，体谅宽容，平安喜乐，静度一生。

遗憾的是，前文的女方，后来一直不曾再嫁。

问她为什么，她说，怕遇见第二棵仙人掌。

不会拥抱的仙人掌，终于开始学会拥抱。

会拥抱的人，却不敢再伸出双手。

曾经千疮百孔的我，还是否愿意再拥抱你？如果这一次，我们之间没有刺，没有伤害，也没有别离。像什么都不曾发生过一样，仿佛命中注定，仿佛默契天成，亲密和谐，相携相扶，永远永远，在一起。

最好的人性

每块云彩都送你一滴雨

哪怕只有一块云彩有雨，它也愿意向你倾斜一丝，分一滴清凉惬意。

干涸之时，这是救命的道理。

　　周末去参加由一本知名杂志举办的颁奖典礼，在后台发生了一件趣事。当天由于艺人很多，化妆间的分配就有些不够，于是把两名艺人安排在同一化妆间。艺人们倒也表示理解，一个坐在门边，一个坐在窗口，各化各的，互不干扰。

　　化到一半的时候，一名中年女子忽然推门进来，她穿着朴素，脂粉不施，长相也很平庸，看起来就像某个艺人的随行工作人员。大家以为她找人，谁知她走到门边艺人的身畔，微笑着跟他打了个招呼。

　　门边艺人有些愕然，因为他并未见过此人。然而他依然礼貌地站起身来，用同样的微笑回应了招呼。

　　这位女子随即又走向窗口。窗口艺人显然早就发现了门口这一幕，他很迅速地摸出 iPod，把耳机塞进耳朵里，然后闭起眼睛小声哼起歌来——一副"生人勿近"的样子。

那女子停下脚步，脸色有些尴尬，不知该向前还是向后。等了几分钟，见窗口艺人没有反应，只好转身离开了。

大家并未在意这个小小插曲，等到两位艺人都化好妆，只等登台演出时，门忽然又开了。这次人很多，几乎是前呼后拥，看这架势就能猜到，是上场前主办方的例行走访。

各人一看，顿时愣住。众星捧月的那个女人，竟然就是刚刚进屋来的素面女子。只是此刻她已经换上一袭华服，妆容精致，面带微笑，气场截然不同。

有助手介绍："这位是我们杂志的新任主编，刚刚已经来拜访过各位。"众人点头称是。

主编走到门边艺人面前，两人再次寒暄。

主编笑容和煦，连声赞美其新作颇有风格，又称今年务必要为其做一次专访，艺人称谢，周围的镁光灯不停闪亮，气氛一团融洽。

寒暄完毕，主编起身。还未等迈开步子，窗口艺人早已站起来迎上前来，满面堆笑，一口一个姐姐招呼着。

主编只是淡淡一笑，示意摄影师关掉相机，氛围顿时冷落下来。她礼节性应酬几句，便转身离开，自然更没有提起任何赞美与合作的话题。

她离开以后，我们听到窗口艺人与经纪人的小声互怨。

"你怎么不提醒我，她是主编。""她是新任主编，我也不熟！"经纪人懊恼不已。"可你如果第一次就跟她招呼，也就不会这么尴尬了啊。"

"来来往往这么多人，难道我要个个招呼？再说，我怎么知道哪块云彩会下雨！"

小时候，父亲曾讲过一个祖上流传下来的故事。

太爷爷的父亲，应该叫"祖爷爷"了吧。他是个能人。当年白手起家赚下了一份丰厚的家业，在十里八村也是数得着的大富商，据说养着三条货轮，圈里的马必须是全红的，骡子必须是全黑的，单是妻妾就十几人，当真是鲜花着锦，烈火烹油的好日子。

日子是好了，可是祖爷爷犯了所有富人的相同难处：自己百年之后，谁来当家呢？思来想去，他终于琢磨出了一个办法。那天下午，祖爷爷召集了所有的子孙，挨个来自己屋子里聊天。子孙们都知道选择的时候到了，因此一个个都紧张激动得不行，刻意用心打扮一番，到了祖爷爷床头也都恭恭敬敬，字斟句酌，不敢答出丝毫差池。

见完一轮，祖爷爷又把所有人聚到大院里，他宣布，自己已经选出了继承人，是一位嫡子。

这个消息一宣布就炸开了锅，因为这个嫡子平日里不显山不露水，更看不出有什么出众才能。连他自己听到这个消息都蒙了，一脸的不知所措。

祖爷爷听着一干人闹够了，才说出选择的理由。那天下午，祖爷爷把一把扫帚扔在了院子当中，来来往往的子孙中，只有这个嫡子将它拾了起来，送回了该放的位置。

祖爷爷已经攒下了几世花不完的家业，不需要再有人去打拼"创业"。他现在需要的，是一个细心周到、稳妥踏实的人来"守业"。

他最后说：你永远不知道哪一件不起眼的小事会改变人生的命运，所以，只有面面俱到的人，才能永无闪失，考虑周详，保全自己与家族。

我们永远无法预测，哪一朵云彩会下雨，哪一片天空会放晴，哪一扇门的开启，会带来下一站未知的转折。我们能做到的只能是以善意的微笑，良好的教养去尊重每一个在生活中出现的人，去认真完成每一件看似微小的事情，收获总会不期而至，让人惊喜。

一位化妆老师在书中说：女孩们即使出门倒垃圾，也要打扮得美美的，尽可能化一个淡妆。也许以为蓬头垢面几分钟没所谓，但又怎知，这一次出门会不会在街角遇见那个一见钟情的完美对象？遇到才后悔莫及为时已晚？

生活的不可思议永远都在毫无防备的时候，突如其来地撞个满怀。是否抓得住机遇，转化为运气，这却是修炼出的本事。

成功的人未必个个都会读心术，读得懂每一朵云彩的心理。但至少可以做到哪怕只有一块云彩有雨，它也愿倾斜一丝，分一滴清凉惬意。

干涸之时，这是救命的道理。

人留下，茶会热吗

"有钱赚啊！"

你瞧，这四个字甚至可以让希特勒和丘吉尔和平共处。

在私企工作的时候，有一位下属辞职后约我出来聊天，他显得很不开心。

"我还没办离职手续呢，Ada 就忙着把我的座位占上了，David 还眼巴巴地盯着我，生怕我不走似的。我知道，我走了他就可以上位了。最可气的是人力资源部的 Lily，居然跑过来对我说，哎，你反正也辞职了，这个月的超市补贴卡就不发了。我当时气得就想大骂，真是人走茶凉！"

　　我问他："同事之间的相处让你很有压力吗？"

　　他一脸纠结，"当然有，平时我约 Linda 和 Candy 她们吃夜宵，为什么她们都拒绝？明明也是夜生活很丰富的人啊。是我什么地方做得不好，还是她们太小气了呢？"

　　我问他："你与她们是什么关系？"

　　"同事啊。"他一脸莫名其妙。

　　我点头，"同事同事，共同做事。你是来做事的，不是来交朋友的。"

　　他不解地问我："同事不能做朋友吗？"

　　我说："可以关系好，但不能做朋友。因为朋友可能是一阵子的，同事却可能是一辈子的。"

　　他看上去还是不明白，"……朋友不是才会一辈子的吗？"

　　朋友当然不是一辈子的。

　　小学时我有一位同桌，那个女孩与我关系好得不得了，一起上学放学，一起做作业，一起练琴。连厕所也手拉手去，还一定要挤在一个隔间里，只为抓紧那课间短短几分钟聊天儿——为此还被老师骂过："你们闻对方的屎都不嫌臭！"

　　我们上了不同的初中，她所在的学校在另外的城市。分别的那一天我们抱头大哭，连父母都跟着掉眼泪，她妈妈拉着我妈妈的手恳切地说："咱们这两个姑娘，一定是一辈子的小姐妹了。"我妈连连点头。

后来，我们都上了高中，大学，各自找了工作。

起初还给彼此写信，互报平安，时间久了，信也渐渐少了。

某天我回沈阳探亲，走在街上，忽然肩膀被一个人用力拍了一下。我一回头，是一个染了一头黄发，穿着短裙的女人。

我问她："你是谁呀？找我有事？"

她尖叫："我是 *** 啊！你不认得我了？"

我这才想起来，是多年未见的她。

可我已经完全不认识她了。那张陌生的浓妆面孔和不时蹦出的脏字，大肆谈论着她昨晚在酒吧与新钓到的男人一夜情，在卖啤酒时被同事抢单，她大骂"那个贱货"，又问我"有钱么，给我拿点儿，最近烟太贵，买不起了。"

这一切让我觉得陌生、恍惚又难过。

她是我昨天的好友，却只能是今天的路人。

有一位同事，他与我是公认的死对头，经常在会议上意见相左，产生争执。吵得最凶的一次，指着鼻子高声互斥了两个小时，逼得老板一拍桌子怒吼："你们两个，各扣半月工资！"这才消停。

奇怪的是，在那家公司就职多年，我既没有因为这个讨厌的同事而辞职，他也继续做着他的工作，甚至心情好时，彼此见面还会打个招呼笑一笑。看上去，我们这样平静又和谐的关系维持个一生一世也没什么问题。

"你看，"我对下属说："你以为天长地久的，终有一天会破灭；你以为天崩地裂的，却稳如泰山。你知道为什么吗？"

他摇摇头，沉默了一会儿。

他应该会明白的。

我们这一生会结交许多朋友，虽终有二三知己，却不会每位朋友都一直陪着我们走下去。随着生活圈子和处世态度的改变，所需资源不同等等，无论你情愿与否，身边那些熟悉的身影永远会如走马灯般流动。

有趣的是，同事关系却微妙得很。不交心，也不需知底，相处没那么辛苦，却会因为集团利益这个一致的目标而始终并肩作战。

我们常常习惯为朋友"两肋插刀"，这种交往是感性的，盲目的和冲动的，甚至会出现"上次我无条件袒护你，这次你凭什么不为我说话"这样的怨气。但同事之间却有着严格的集团制度，只能理性公平地处理事情，反而在规矩中找到方圆，这种交往是稳定的、刻板的，又是安全的。

把同事当作朋友，很容易违背原则，越过底线，从而伤害到集团利益，也就伤害到自身的利益。

有个做服装生意的女孩，脾气烈性格直，因为她口无遮拦，常常得罪朋友，不欢而散，渐渐树敌无数。

就是这样一个人，却与她的服装供应商有着十五年的漫长合作。

那商家苛刻，她经常与对方大吵，也曾被各种无理条款逼到崩溃大哭，可是偏偏她从不曾说一句解约不干，抹抹眼泪拿起电话，继续笑眯眯地沟通合作事宜。

别人问她怎么在这件事上这么能忍，她瞪大眼睛："有钱赚啊！"

你瞧，这四个字甚至可以让希特勒和丘吉尔和平共处。

朋友之间会因为细微的矛盾而敏感、解体甚至仇怨，同事之间却由于"五斗米"而彼此多了一分宽容和谅解。

我们自然也会与同事分开，江湖不曾再见，然而几年后兜兜转转也可能又成了同事，彼此没有什么放不下的，共同的利益面前，随时都可以合作无间。

我们与朋友闹翻，却是伤心伤肺伤个彻底，再见好过再也不见。

这位下属显然就是混淆了角色，为了同事伤心伤肺，气怒交加，着实不值得。

我端起面前那杯茶："并非人走茶凉。即使人留下，茶就不会凉吗？"

他若有所思地点了点头。

我微笑，向他举了举杯，又补上一句：

"或者，茶热过吗？"

人情银行

在人情交往中，一旦单方面付出超过底线，
一切都终将崩盘。

在圣莫里茨度假时，偶遇一对日本的中年夫妻。

他们住在隔壁的别墅。每天早上，妻子都会早早起来，去餐厅拿丈夫爱吃的早点，热热的奶加上麦片，面包烤好，端进卧室给丈夫吃。看起来很是恩爱。

他们出门散步，丈夫的鞋带开了，妻子蹲下身帮他系好。丈夫不曾说谢谢，没有丝毫的不适应，妻子也没有任何的不自然。

偶尔晚上我们在户外吃铁板烧，他们也来。丈夫坐在那里和其他的男人喝酒聊天，妻子始终在忙碌，把丈夫喜欢的食物送到他的面前。丈夫没说过一句让妻子也尝一口的话，妻子则等到丈夫吃好了，才默默在一旁吃些东西。

临走前一天，我们去跟他们告别，因为时间太早，丈夫那时还在睡觉，妻子出来，用蹩脚的英文对我们致歉，祝我们一路平安。

她说："很抱歉这段日子没跟大家多交流，因为这是我们的离婚旅行，所以两个人都想好好享受最后的时光。"

离婚旅行？我们吃了一惊。

我问她："为什么要离婚？你不爱他了？"

"不，我爱。"她摇摇头；"但是我累了。"

"……你们看起来感情很好。"

她笑，"你们都看到啦，这么多年我一直是这样照顾他，但是他从来只会给我经济上的补偿，没有任何生活上的照顾。忽然有一天发现自己不想这样坚持了，我也想找个人体贴我关心我。至少，对方会在我付出之后，给我相等的回应。"

她向屋子里望了一眼，"女人都是'信用卡'，这张已经被他透支过度，现在'强制注销'了。希望他有运气，可以找到下一个愿意为他'透支'的女人。"

仔细想想，她的比喻颇妙。

不只女人，每一段人与人的交往都如银行与信用卡的关系。

信任一个人，爱一个人，便成为他的"发卡行"，发给他一张"人情信用卡"。

对他有多少感情，信用额度就有多高。

有的人一万额度，有的人十万额度，有的人未过审查，连拿卡的机会都没有，有的人则会拿到一张"无上限"额度的卡——等同于那张美国运通公司的"Centurion[*]"。

因为太重要，所以给予最好的一切，所以无法限制。

然而不能无止境地透支，因为所有的"发卡行"都会有底线，哪怕是拥有了一张人人称羡的黑卡，如果长期偿还不起，便会直接从黑卡变黑户。

付出是支撑信任的力量。

只知索取，却吝于回报，那么即使曾经拥有，也终将毫不留情地失去。

---

[*] Centurion，百夫长黑金卡，1999 年发行，持卡人可享受全球顶级全员专属礼遇。

父亲有一位朋友，遇上了一桩经济官司，朋友知道父亲认识另一位高官朋友可以帮他解决问题，便向父亲求助。

出乎意料的是，一向热心的父亲却拒绝了。

我问他为什么拒绝，他说："因为终归要还的。"

我不甚明了，请他解释给我听。

他说："那位高官朋友与我是同学，我们此前没有任何利益纠葛，纯粹的同学之谊。他并不需要钱，更不缺权，与我们的地位有很大差距。固然我开了口，他愿意帮这个忙，可我要用什么来偿还？他要的东西我们给不起，我们给得起的，他不想要。"

他说："人情就是欠款。还不起，就不要借——因为终归要还的。"

"因为终归要还的。"这句话这么多年来，一直在我的脑海中浮现。每次在我想向他人开口求助的时候，总要想一想，是否有资格借？是否还得起？

如果还不起，就会像那笔一直挂在银行明细中的烂账，每每看见就揪心。最要命的是，迟早会为之付出代价，甚至也许利滚利，那代价某天会大到令你触目惊心，最终成为一辈子无法解脱的梦魇。

有段时间，家里生意失败，自己也身陷困境。万般无奈之下，只好打电话给所有朋友请求借贷。结果，那些我曾经帮助过的朋友都杳无回音，只有一个以前曾经借给我钱的朋友，居然伸出援手，再次借给了我。

那件事之后，我明白一个道理。帮助过你的人会一直帮助你，你帮助过的人却不一定会帮助你。

大部分人在乎的，是自己曾经的付出。

曾为一个人深夜买过一包糖炒栗子，那么，自然会再为她雨天送去一把伞。她对于你来说是更重要的那个人，远超过为你买栗子送伞的那个人。

有人自嘲这是"犯贱"，其实只是因为在曾经付出的时候，就已经在自己的潜意识里面，将两个人构成了紧密的利益共同体。在人际交往中，这种"利益"并不仅仅指代金钱，更指代情感。对方已经是"自己人"，那么再多些付出也无妨。

这似乎与银行的某些贷款业务很相似。某人第一次向银行借了笔钱做生意，然后在经营生意的过程中，资金链出现断裂，于是此人又希望向银行借第二笔钱来进行商业周转。那么，在审核通过、财务情况均等的情况下，银行反而更乐意批款给这种老客户，而不是那位初次贷款的新客户。

因为在银行看来，首先，第二次借贷的客户曾通过他们严密的审查，再次贷款自然会比较可信；其次，如果已经投入，不再借贷的话，可能会造成对方生意失败，即使有抵押物，银行也可能会造成损失；第三，如果这名客户通过第二次贷款可以将生意发展得很好，对于银行来说则是更大的收益，何乐而不为。

当然，没有人喜欢无底洞。无论是贷入感情还是金钱，一旦还款记录不良，再有耐心的银行也会忍无可忍，冻结你的账户或者强制销户。

更可悲的是，银行们息息相通，一旦失去了一家的信用，其他家也会相继得知，于是投入的人越来越少，危机不会再有人解救。终于不但无法再次贷款，也许在之后的其他生活环节中也会困难重重——在美国，消费者一旦有了不良记录，会面临"处处碰壁"的窘境，轻则额外支付透支利息，重则无法利用信用消费购买任何商品，甚至对就业和生活都会造成严重的负面影响。

其实对于每一家"人情银行"来说，都是先有温暖的"人情"，才有冰冷的"银行"，没有"人情"，别人甚至不会愿意成为你的"银行"。

如果有一个人愿意对你付出真诚的情感，并未计较偿还，这是值得感恩的，但绝不能永远不还。

在人情交往中，一旦单方面付出超过底线，一切都终将崩盘。

所谓"好借好还，再借不难"、"亲兄弟明算帐"，都是为了把"银行"打好坚实的信任基础，"人情"才可以固若金汤，稳如泰山。

无人在意你的平庸

"平庸"两个字的贬义，

从来都不在于"平"，只在于"庸"。

他最近遇上了一点麻烦，工作的单位最后一次分房，他不在名单上。

要知道，他已经四十多岁了，在单位工作二十多年，还是个只拿2000元月薪的小技术员。每年都分房，他每一次都榜上无名。他每次都安慰又哭又闹的老婆：下一次肯定有我们了。

一直到这次，他终于爆发了，不是因为又没分上，而是因为居然再没下次了。

他鼓起勇气去找领导，领导瞪着眼睛看了他半天，问出了一句将他打击得摇摇欲坠的话："你是谁啊？"

他勉强维持着笑，介绍了自己的姓名，所在的科室和工作。领导恍然大悟地点点头："哦！不好意思！我给忘了！"

忘了！他无法相信这个滑稽的答案，简直荒唐。

领导忘了，不会承认这是错误，他的损失自然也补不上。老婆无法接受这种结果，抱着孩子回了娘家，声称这些年受够了他的无能，坚持要离婚。

他与几位朋友喝酒倾诉，喝多了，蹲在酒吧的地上放声大哭，堂堂七尺男儿，看起来无比绝望和痛苦。

没人知道该怎么劝慰他。

其实如果不是他那天的大哭，朋友们甚至从未注意过这个人。

在圈子里不乏家境不好或工作不好的朋友。可每个人都有着自己的特点，或辩才出众，或能歌善舞，或成熟圆融，或善于分析，最不济的，也能讲几个冷笑话逗大家哈哈一乐。

但他实在太普通了。普通到连跟他吃过几次饭的人，对他的名字仍然毫无印象。"有这个人吗？真的吗？"

他对于工作的态度从来都是："还好吧，当一天和尚撞一天钟。"

早早接受相亲结婚，自己也承认跟妻子"没什么感情，搭伙过日子呗。"

别人劝他进修学习，或者出门旅游。他摇摇手，"我都这么大年龄了，折腾那些干吗？"

久而久之，大家似乎真的忘记了他的存在，哪怕餐桌上有着他的一杯酒，这个人的身影也虚弱得接近透明。

并不是消失，而是仿佛从未来过。

那一刻，看着那个号啕大哭的男人，所有人都尴尬地沉默了。

曾经一位朋友抱怨："我从不会妨碍到任何人的利益，沉默做事，踏实做人，我这么低调奉献，为什么没人赏识我？为什么永远都是那些争先好胜的人得到成功？"

我反问了他三个问题："你是沉默还是沉寂？你是踏实还是老实？你是低调奉献，还是根本就没有高调的能力？"

他不吭声了。

我又说："有些人沉默，但偶尔开口就是画龙点睛，这叫平静；有些人踏实，但改进工作绝不墨守成规，这叫平实；有些人低调做人，做起事来却无比高调，这叫平衡。"

"你不是不会妨碍到任何人的利益，而是根本没有能力妨碍到任何人的利益，导致自己始终处于失败的局面，这是平庸。"我毫不客气地说。

他的脸涨得通红，却无言以对。

不要拿平凡来为自己的平庸镀金。

平凡是内心精彩丰富，却宁愿选择"久在樊笼里，复得返自然"的生活。

平庸却是机遇从天而降，却仍然没有紧握的能力。

平凡是平凡，平庸是平庸。

这个世界上大概最引人羡慕的职位便是美国总统了，然而提起美国第29任总统沃伦·哈定，很多人毫无印象。

美国著名史学家阿瑟·林克和威廉·卡顿在他们合著的《美国时代》一书中，有这样一段话描述哈定："命运无情，它让哈定做了总统，而他却才能平常，意志薄弱，而且显然缺乏辨别是非的能力。他悠闲自在、和蔼可亲，具有一种把完全不值得信赖的人拉到自己周围的神秘魅力。他至少还和两个女人私通。"

具有讽刺意味的是，哈定之所以成为总统，是因为他的平庸。当初共和党的另外两个总统候选人弗兰克·洛登和伦纳德·伍德竞争十分激烈，却由于政客们的博弈需要，选择了哈定，理由是，他是一个"仪表英俊、性格随和的好人，容易为各方接受。"

哈定自然是抱着无限期待的，他希望自己"作为一个最受人爱戴的总统而留在人们的记忆中"。然而，在他就任期间，美国极度腐化及道德败坏，他的失败有目共睹。

哈定登上过权力的巅峰，却无一人记得他，在乎他，怀念他，甚至唾骂他。

——你瞧，他连被唾骂的资格都失去了。

李娜在获得法网冠军、实现大满贯之后居然说：她的梦想是做一位伟大的家庭主妇。

无人诟病这样的梦想。在自己擅长的领域获得成功后，回归一种自在心安的平常生活，这是成功者的另一种境界。

你能说她是平庸吗？

伟大的人，即使避世独居，也依然伟大。

平庸的人，即使给他整个世界，也依然平庸。

"平庸"两个字的贬义，从来都不在于"平"，只在于"庸"。

鲁迅曾说："然而造化又常常为庸人设计"，其实这句话翻译过来就是"傻人有傻福"。

的确，我们常常可以看到有些庸人们过着富足的生活，似乎上天真的很眷顾他们。但精神的空白只有庸人自己清楚。

也有一些人在明白这种缺失后，会奋力弥补。

这种人虽无造化，却有着后天的敏锐与努力，这是另一种不一样的精彩活法。

在毛姆的《月亮与六便士》中，思特里克兰德无疑是一位天才，他宁愿放弃自己富裕的生活，也要到塔希提岛上专心绘画，创作出无数艺术杰作。

然而在书中我更偏爱戴尔克·施特略夫，他只是一个画风俗气、毫无特色的画家，完全不具备任何艺术天分。但他看到了思特里克兰德的过人之处，并帮助他——尽管这让他最后失去了他的妻子。

在我看来，施特略夫对于美感的敏锐度和鉴赏力远远超越了当时英国的主流艺术鉴赏水准。虽然天资有限，他已通过后天的努力，尽力使自己变得不再平庸。书中这个人物，不亚于思特里克兰德带给我的深刻。

月亮和六便士都是圆形的，闪闪发光的。

然而月亮是高贵完美的象征，六便士却是英国最低价值的银币，象征着现实与卑微。

这个世界太忙碌，人们连仰望月亮的时间都那么稀少，谁还会看到脚边的一枚六便士。

你是月亮还是六便士？或是努力成为月亮的六便士？

婚姻失败，没有人会替你经营；儿女不肖，没有人会替你教育；资格最老，仍然升不了职加不了薪，跟同事和老板没半点关系；交不到朋友，读不通书籍，听不懂外语，不敢去远方，周围的话题插不进半句嘴，那都是你的事情。内心空虚，毫无特长，找不到生活的意义与灵魂的重心，谁都没有义务来拯救你。

不过大可放心，不会有任何指摘的声音，那只是属于你的惨淡生活。

这世界如此宽阔忙碌，无人在意你的平庸。

有一种投资叫舍得

"舍得"人人会说，无外乎存了"没有回报多亏本"的念头。
殊不知，这本身就是一种"舍不得"。

白颖是我见过对工作付出最多的女生。
所谓付出，并不仅仅体现在她的认真上，更多地体现在她的开销上。
她在一家小公司做影视策划宣传，这是一份吃力不讨好的工作。做好了，大众只会说"片子好"，没有人想到你的努力；做得不好，投资方就会蹦出来大骂他的钱都白白花了，看不到你的半点用处。

白颖的薪水也低得可怜，3000 块的工资，扣掉乱七八糟的税费大约只剩 2000 多块，她与朋友合租一间地下室，一个月 800 块，再加上每个月的电话费、车费、饭费、煤气水电费……付完后根本所剩无几了。

但白颖很努力，她做平面模特、给杂志写些小稿子，甚至还帮别人推销保险，一个月总能多个几千块的收入。

照理说，她完全可以用这些钱让自己过得好一些，可她所做的事情却常常令我们无法理解。

她把这些钱统统搭到工作上。

请客户吃饭喝咖啡她抢着买单，连客户喝多了找代驾的钱她都抢先付掉；送媒体的礼物是给自己都舍不得买的名牌；每个合作伙伴过生日她都会及时订购鲜花和蛋糕……唯一对自己的高额投入是 iPhone 刚出的时候，她就用积蓄买了一部，因为"有客户会从你使用的手机来衡量你的价值"。

我们无法理解她，公司的赢利与她没半毛钱关系，工资永远难以上涨，这些奢侈的费用也是根本无法报销的。明知道一定会打水漂还要义无反顾地投入，甚至牺牲自己的生活质量，以工作养工作，到底是为什么？

三年以后我们得到了答案，白颖被一家大型传媒公司挖走，做了那家公司的总监，薪水是原来的十倍。

那家公司的老板对外的解释只有一句：白颖是我见过最大气的女生，这种大气正是我们公司迫切需要的。

这当然只是一方面，另外一方面的实际原因是我们都不得不承认的：白颖这三年已经奠定了坚实的客户基础，她的人际关系早就如鱼得水。

在这个圈子里，没有人还记得她只是拿着一份 3000 元工资的小宣传，每个人聊起她来都语带钦佩，说她为人豪爽仗义，跟这样的人交朋友聊生意，永远不担心自己被坑，因为白颖绝不会在钱上斤斤计较。对于所有的老板来说，能够得到白颖这样的助力，自然是如虎添翼。

能够着眼于大处的人，从不会在小处上吝啬。往往外界看中的并不是你开销出的一份金钱，而是那份"成大事者"的宽广心胸。

把 3000 元的工作做到 3000 元的水准，并不稀奇。如果做出 3001 元的业绩都觉得自己是"吃亏"的话，那么终其一生，大约也只能维持这样的水平而已。

相反，把 3000 元的工作认真做成 30000 元的气势，以打工仔的身份揣摩老板的心态，把工作经营成一份事业，那么所得一定不止 3000 元。

前些年认识一个做活动企划的男生，文笔很好，能力也不错，只是由于机遇问题迟迟无人赏识。偶然的机会，一位朋友给他引荐了一位负责人，希望可以促成合作。结果那餐饭吃得有些尴尬，因为对方颇有些趾高气扬，声称自己一贯只用大公司的企划案，还是给了面子才来洽谈。

男生也很谦恭，称自己是初出茅庐，希望能够给予机会。朋友在一旁帮腔，最终负责人总算松了金口，说那你把案子发给我看看吧，不过说好了，价钱肯定不会很高的。

大约是男生的企划案真的不错，总之在一周以后他接到通知，企划案予以采用。男生很开心，可是左等右等，都没有等到付账的消息。

直至活动结束，男生也没收到一分钱。

我们见到他时忍不住安慰，更有义愤填膺的朋友替他不平，问他是否要起诉对方。他虽然苦笑，却说没关系，并非懦弱怕事，而是觉得钱财乃身外之物，这样的展示十分难得，他愿意以"吃亏"换取可能的发展机会。

事实证明，他一语成谶。这次活动由于企划有新意，宣传效果极好。很快许多人开始私下询问企划案的制作人，虽然主办方并不愿透露，天下却没有不透风的墙，男生的名声很快在业内传开。加上他事后的"不追讨"和"不计较"，也成为正面谈资，为人津津乐道。他的下一单合作迅速促成，签约的价格令每一个从业者都羡慕不已，可谓一夜翻身，自此事业蒸蒸日上。

被"占便宜"并不是一件值得自怨自艾的苦情事。让别人占过你的便宜，才会让世界发现你的珍贵。世间之事，大约总是物极必反，否极泰来。在足够的沉淀与付出后，命运总会在某个不经意的时间，来一次漂亮的厚积薄发。

听过一个寓言故事。上帝对几位旅人说：既然你们要去另一个地方旅行，不如帮我运些石头过去。旅人们答应了，但大多数人都害怕辛苦，因此选择了极小的石头，只有一个常被大家嘲笑的傻瓜选择了最大的石头。结果出乎所有人的意料，抵达终点后，上帝居然伸出手指，点石成金。拿了小石头的旅人们追悔莫及，"傻瓜"却获得了最大的金块。

"舍得"人人会说，真正做到的却没有几个，无外乎存了"没有回报多亏"的念头。

殊不知，这本身就是一种"舍不得"。

不逐一时蝇头小利，方有千金散尽还复来。

我常常在招聘中遇见一些很有趣的事情，令人记忆犹新的是一位应聘者。他年纪很轻，甚至可能刚刚毕业，但是在我问到"你对薪水的需求"

时，他先做深思状，然后阐述出一堆自己的"优秀条件"，并开出万元以上的月薪。

我为他分析，这份工作虽然工资并不丰厚，但贵在平台宽广、机会众多，对于年轻人是很好的锻炼，不如珍惜机会，徐徐图之。他却依然坚持"这是我的价值，我不想讨价还价。"最终我也只好无奈地对他说Byebye。

事隔一年有余，在其他公司负责招聘的友人忽然提起此人，我才知道原来他一直在应聘，却仍未找到合适的工作。友人道："他大约实在无法舍弃那一万元的当下价值，才愿意放弃那些可能让他尽早达到十万元价值的机会吧。"

职场中鱼与熊掌尤难兼得，在早期适当降低一些物质需求，也许并不是一件坏事。"无谓"者方能"无畏"，无畏者，才可心无旁骛，眼界豁达，迅速在工作中找到自己的位置。锱铢必较除了将自己困入危局、浪费青春之外，不会有任何正面收获。

李嘉诚之子、"小超人"李泽楷曾在谈到自己创业经历时说："父亲从没告诉我赚钱的方法，只教了我一些做人处事的道理。父亲叮嘱过，你和别人合作，假如你拿七分合理，八分也行，那我们李家拿六分就可以了。"

舍得是一种投资，有取必有舍，有舍才有得。
你对这个世界不贪婪，世界自然不会对你太吝啬。

最好的沉默

把内心的猛虎关进笼子

每个人都有放出猛虎的权利，但谁能轻松收服，

并接受它带来的一切后果呢？

乘坐一位女性友人的车，过程令我十分不安。

并非是因为车技太烂路况惊险，而是这一路我始终听着她的各种大声呼喝和咒骂："王八蛋！会不会开车?!""横穿马路，你丫纯粹找死！""傻＊！"

不，千万不要以为这位朋友天性粗俗。事实上，平日里的她是十足矜持优雅的淑女，别说脏话，连大声说话的次数都屈指可数。

因此才令人匪夷所思。

她似乎也发现了我的惊讶，悻悻地解释："不怪我，实在是这帮不守交通规则的太气人了！一时忍不住，就变成这样了。

"不过现在很多司机都是这样，平时文质彬彬，只要一开上车，那股邪火就压也压不住，不知道为什么！"

我点头表示理解，却忍不住想起此前在欧洲见过的交通情况。

无论司机多么急，只要有行人过马路，几乎都是车让人。当然，行

人也十分遵守交通法则，极少有擅闯的情况发生，更不会产生叫骂。

最温馨的一幕发生在琉森湖畔，一只鸽子忽然飞到了一辆奔驰车前，开车的老人踩下刹车。等到鸽子一蹦一蹦地过了马路，在众人善意的笑声中，老人半无奈半幽默地冲我们回以一个耸肩微笑，才启动车子开走。

在每个人的心中都饲养着一头名为"语言暴力"的猛虎，它会轻易地摧毁信赖、尊重和平等的心态。比起行动的暴力，这头猛虎伤人的方式不同，痛苦却不遑多让。

平日里，我们用修养和道德，自我约束成一座牢笼，死死囚禁着它。

然而总有些情绪会成为炸弹，你无法摸准爆炸的时间。可那一瞬总会到来，瞳孔紧缩，笼门破碎，猛虎咆哮，随即是不死不休的厮杀。

你终于惊恐地发现，局面已经无法控制。

近年来以微博为首的网络阵地，渐渐成了新闻的集散地。写下知心话的人越来越少，即使偶有感悟，也大多是"希望别人看到的自己"而已。

无休止的谩骂与讥讽存在于每一条略有人气的微博下，无论政治、娱乐、军事、民生、经济……所有的话题都会有人蹦出来嗤之以鼻甚至人身攻击。明明惬意的一天，在看到哪怕一条此类的留言后，心情状态便会瞬间变得低落甚至愤怒。

无论草根还是名人，即使拥有强韧的心脏，再懂得自我暗示与情绪调节，再反复告诫自己要"宽容"、"理解"，久在负面能量之中，难免开始麻木和厌倦。

其实这些"网络暴力"的源头，未必个个粗俗不堪。令人大跌眼镜的是，很多还是拥有社会地位的得体人士——学校的老师，医院的大夫，儒雅的学者，高分的学子，甚至某位斯文害羞的美女……

为何在打开网络页面的一瞬间，他们口不择言，咄咄逼人，尽情啃噬着他人的平静与快乐。

某天一位男同事说起他在网上看到的八卦。一位名人由于说错话，被网民围攻，不但被骂到狗血喷头，甚至连作品和家人也被一并粗口问候。

那位男同事讲得笑声不断，又吐槽："这人居然还敢还嘴，一会儿上网看我骂不死他！"

我忍不住问他："为什么他还嘴你就要骂他？"

他理直气壮："他是公众人物，就该被消费，当然看得不爽就要骂！"

我问："那他如果骂你呢？"

他梗着脖子："他敢！做人要有涵养，打不还手，骂不还口！"

我停了停，又问："如果你昨晚写的那篇新闻稿被读者骂'像屎一样'，或者你儿子被骂'废物'，你会怎样？"

他一愣，猛地瞪起眼睛，气息咻咻——"我跟他拼命！"

人之所以是人，是因为有着难以释怀的七情六欲，无论一个人多么有文化、有教养、有地位、有风度，也会在无休止的语言暴力中产生"我跟他拼命"的一时冲动。只需一点点"设身处地"就可以理解宽容的事情，却很少有人可以做到。

这个世界上真正修炼到不嗔不喜的高人毕竟少之又少，大多数人仍然挣不脱负能量所带来的情绪变化：伤感、愤怒、仇恨……而勾起这些情绪的，极大一部分来自口舌之争。

人们在批评或攻击他人的时候，总是信手拈来，图一时痛快。然而在遭遇到同样的打击后，却会心存怨怼，觉得对方"真不会说话"！

语言冲突，很容易生成"严以律人，宽以待己"的不良做法。

国外曾推出过一辑关于"语言暴力"的公益广告，从每个人的嘴里伸出巨大的拳头，狠狠击打在别人的脸上，画面十分有冲击力。

一声讽刺，一句羞辱，如同虎啸声声，发泄出的不仅仅是对世事的不满，生活的压抑，隐藏的自卑，更多的是对于境况的不堪忍受，对于现状的无力改变，只能选择如此极端的方式，还要掩耳盗铃：这有什么大不了的，无非痛快痛快而已——反正不会有人知道是我！

以为"看不见"的猛虎并不会有人窥其真容，却忘了看不见的猛虎依然是猛虎，依然有着锋利的爪牙，凶残的本性，并导致血肉模糊的结局。

虎虽不见，伤亦铸成。

父母羞辱孩子："朽木不可雕也！你将来考不上大学，卖土豆都没人要！"他们想的是："反正自己的孩子，想教训就教训，说几句有什么大不了，家丑也不会外扬。"

有一位母亲曾在我劝阻她不要挖苦女儿的时候，手一挥，大声说："我又没有用脏话骂她，只是在教育她！要是连这个也不能承受，怎么走上社会！"

语言暴力当然不仅仅是"脏话"，在"硬暴力"和"软暴力"的区分中。硬暴力指的是前文的"爆粗"，是人身攻击层面。软暴力则不使用脏话，用文质彬彬的挖苦、讽刺、鄙夷来羞辱对方。这种暴力可怕的地方不仅仅在于伤害对方，而是连"行凶者"都不曾觉察，笼门已开，放虎出山。

马尔克斯的《一桩事先张扬的凶杀案》中有处闲笔："有一次，我忍不住问几位屠户，是不是屠宰卖肉的营生会掩盖某些人嗜杀的本质。他们反驳道：'我们宰牛的时候，都不敢看它的眼睛。'其中一位告诉我，他不敢吃自己宰的牲畜的肉。另一个人说，他不忍心下手杀掉他熟悉的母牛，特别是在喝过它的奶之后。我提醒他们，维卡里奥兄弟就屠宰自家养的猪，他们非常熟悉那些猪，还给它们起了名字。'那倒不假。'其中一个屠夫回答说，'不过您该知道，他们给猪起的不是人的名字，而是花的名字。'"

装饰性的攻击语言，依然有着残忍本质，刀刀见肉；掩耳盗铃的伤害，止不住被伤者心头涌出的汩汩鲜血与漫长的痛苦。

一位朋友最近突然与相恋多年的男友分手，我们追问原因，她的答案是，那位各方面条件都非常优秀的男生居然是位不折不扣的"毒舌先生"。

她多吃了两口饭，男生会不耐烦地说："比猪还能吃，你见谁家女朋友比男朋友都肥的？"

她给自己和母亲都买了打折的衣服，男生冷笑，"你们全家真是抠儿到一起去了。"

她为讨男友欢心，穿了一条颜色鲜亮的裙子，男生看见她却哈哈大笑，"你还以为自己十八岁吗？穿得像个调色板！"

纵然男友对她不差，她也忍无可忍，终于提出分手。

她说：我不能想象自己的下半生这样生活，每天被迫接受难听的话语，犹在地狱。

少有哪位语言施暴者可以体会到"被害者"的心情。而当他们面临语言暴力的时候，却也深受其害。这往往又是蝴蝶效应，一个语言暴力者感染周围的人，形成片状语言暴力——我们常常可以见到这样的情况，一间办公室里，一个人嘴巴坏，其他人也都会热衷于对某件事物发表刻薄看法，导致其他人评价"那个部门的人嘴巴最损"。亲人之间更容易彼此影响，父母言辞不谨慎，孩子也容易在自己的群体中惹下口舌官司。

凡事开口前三思而后行，不放任自己的情绪，按捺住冲动。多设身处地想想，自己一时痛快后，对方会是怎样的心情。

愤慨焦灼时，想想前文中写到的那只琉森湖畔的鸽子与老司机。纵然前路紧急，压力不堪，暂停一步又何妨，不吼不叫，不急不恼，不口吐妄言，不失去理智，单单微笑就好。

善言暖心，恶语似刀。

实在想说，不如考虑换一种表达方式。把"你这个废物"换成"我看到了你的努力，只是可能还没有找到准确的目标。"

把"这件事简直被你彻底搞砸了"换成"或者我们可以想一些更好的解决办法？"

把"吃软饭的""没文化""肥婆"，换成："如果做一些自己擅长的事情会更好。""要不要我推荐几本书给你看？""你长得挺有福气的。"

……

长此以往，那只猛虎终会渐渐平静。

虎虽能出笼伤人，亦可轻嗅蔷薇，成为无害的温顺大猫。

究其原因，无非把驯虎的原则用于驯服语言。

理解、沟通、体谅、安抚、平和。

不再随意开启笼门——除非你清楚知道，虎无伤人意，人有伏虎力。

沉默是面护心镜

所谓护心镜，不只护己，更护住了那些我们所爱的人。

在去日本的飞机上偶遇了一对台湾夫妇。他们坐在身边，旅途很长，但那一路我都无法安眠。因为他们一直在争吵——确切地说，只有那位太太在喋喋不休。

我听了半天终于明白了个大概：出门的时候先生把钥匙给了家里的钟点工人，请她定期去打扫。太太知道以后就非常愤怒，一直在教训先生，说他丝毫没有防范意识。如果那位工人趁他们旅行的时候搬空家里财产该怎么办？如果工人把外人带到家里来过夜该怎么办？他这样做存心是让自己一路都不安心，自己怎么会跟这样的人过了一辈子……太太语速很快，声音洪亮，重复着几乎一样的话，且丝毫不显疲惫。

我起初听得有趣，后来便心生烦躁，最后干脆拿耳塞塞住耳朵，却依然有她的声音断断续续传进来，让人几乎忍无可忍。

然而奇妙的是，那位被骂的对象却始终悠然地靠在椅背上一言不发，偶尔喝杯水，甚至顺手为太太倒上一杯为她润喉——简直是恶劣的纵容。

趁她去上卫生间，总算可以"中场休息"。我实在按捺不住，摘下耳塞，向先生问出自己的困惑。

"不好意思，也许这是你们的事情，但……为什么您可以忍耐那么久的指责都不回应一声呢？"

"不好意思的应该是我们，真的打扰了。"先生颔首致歉。"但是如果我回应了，她会更加生气。唯有沉默，是阻止一切变得更坏的唯一办法。"

"沉默并不能解决问题。"

"但沉默起码不会激化问题，并可以缓解问题——其实这个世界上并没有能够完全解决的问题，能够缓解，已是不易。"

我很好奇他对于沉默的看法："沉默对于您来说，是武器吗？"

先生微微沉吟："不，它是防御，是'护心镜'。"

"为什么？"

"它护住我的心不受伤害，这样永不致命，在我可以承受的范围内。然而，它也不比盔甲那么坚硬，不会反弹那些接近我心的人。他们对我很重要，我不忍心让他们受伤。"

另外一个故事发生在巴伐利亚。

那年四月我一个人旅行到班贝格，正是草长莺飞的季节，小镇上有一间小别墅吸引了我的注意力。

别墅并不大，但是外墙上爬满了盛开的白蔷薇，非常美丽。一位满头银发的老人正站在梯子上，认真修剪着蔷薇的枝叶。

这时他身边的一扇窗子忽然打开了，一位老妇人探出头来。

与这风景不太和谐的是，她表情焦躁，语速奇快地冲老人大吼大叫着，虽然说的是德语听不太懂，但还是可以感受到她的强烈不满。

站在梯子上的老人聆听着老妇人的吵闹，手下却未变，依然慢慢地修剪着枝叶，一言不发。

直到吵闹完毕，他也停了停。忽然，他剪下了一朵身边开得最盛的白蔷薇，然后露出一个微笑，顺手拈起它递向了窗口的老妇人。

那天下午的阳光很好，暖融融地晒在身上。然而那一刻老妇人脸上突如其来绽放的笑容，却比整个巴伐利亚州全部的阳光总和还要灿烂。

那是我见过最动人的沉默。

每一次回忆起来，还带着白蔷薇的淡淡芳香。

沉默可以应对一切，带着微笑与爱的沉默则更胜一筹，在应对的基础上，它可以治愈一切。

优质的沉默是一场漂亮的太极，给自己冷静思索的时间，同时将问题抛回给提问者，不失风度，以柔克刚。"祸从口出"和"说多错多"并不是危言耸听。在某种意义上，保持缄默的确是一种低调的品德。

在我刚刚毕业、开始工作的时候，公司常常开会。我和另外几个新来的实习生总是会议上最踊跃的几个，积极发言，若是一时轮不上自己开口还急得要命，趁对方喘息的时间赶紧插进去大声阐述自己的观点。

领导自然是肯定的，笑着说年轻人有斗志有激情啊，新的想法是好事，要鼓励要支持。老同事也连声称是，说我们老了跟不上时代了，土埋半截了，你们一定要有话直说，这样可以改进我们的工作，促进集体的进步。于是我们也颇为沾沾自喜，觉得浑身充满了使命感与荣耀感，更加卖力地发光发热。

戳破美好理想的转折点发生在转正时——我们几个人居然统统都没有通过转正，反倒是那个平时沉默寡言的男生居然全票通过。我们又惊讶又不服，集体找到人事部，无果。

最后只好灰溜溜走了，落下身后一个巨大的问号。

后来工作的时间久了，常常反省自身，也就渐渐揣摩出了一些当初失败的原因。

领导并不一定喜欢多话的人。多话意味着冒失、张扬、不稳妥。在没有深思熟虑后就贸然讲出的观点，绝大多数并不能有力地说服他人，自然更无法让领导采纳。"不予采纳"的次数多了，消耗了发言者的"信用度"，这位员工也就成为了领导潜意识里的"失信人"，离"失宠"也就不远了。

同事也不喜欢多话的人，在他们看来，多话意味着出风头、抢业务，可能威胁自己擅长的领域。如果再有触及实际利益的方面，隐藏的敌对情绪就一触即发。

说者无意，听者有心，不是每一句话都会激起矛盾，但职场中说错的话往往成为危险的伏笔，不知在什么时候被拎出来，放大、演绎，进而变成致命伤。在一个相对复杂的大环境中，遇见棘手问题时，"万言万当不如一默"，它适用于所有不善于人际交流的人——不会说话没关系，不说话总会吧？

他人之事不容置喙，观棋不语方为君子。

当然，不多话不等于不说话，更不是自扫门前雪。而是要谋定而后动，三思而后行，考虑周全后再行开口，每一句都是画龙点睛，才让自己的每一次开口都变得有价值。

今年公司又招了几个实习生，开会时他们叽叽喳喳异常兴奋，每个人都摩拳擦掌准备在会议上展示一番。我看着他们年轻朝气、争论不休的模样，忍不住微笑。

一个小女生看到了，好奇地凑过来问我在笑什么。

我笑着摇了摇头。

我是不会对他们讲护心镜的故事的。

因为，人总要亲自把心捧出来。枪林弹雨、风霜雨雪，走上一遭。待到千疮百孔时才知道疼痛难忍，才懂得生活残酷，才会主动去寻找那一面护人护己的护心镜。

当你终于沉默，成熟才刚刚开始。

记得，就是最好的证明

无须任何外物。你记得我，这是最好的证明。

在圣托里尼岛与一位摄影师结为好友。聊天中，他说他偶尔也会为一些新婚夫妻在伊亚拍摄婚纱照，拍摄过程中他发现一个很有趣的现象。

"每个人都想要拍蓝天、大海、教堂的十字尖顶，以及号称世界上最美的日落。我对他们说，再走下去一点，会有很漂亮的巷子和小花，却很少有人愿意去拍。"

"为什么？"

"因为光线合适的时段就只有那么几小时，墙面和小花到处都可以见到，但是不抓紧时间把自己拍进蓝天大海和圣岛独有的风景里，又怎么能向其他人证明自己曾经来过希腊呢？"

在沙巴潜水时，一位潜水教练很难过地说，昨天他发现一片正在死去的珊瑚礁。我问他珊瑚为什么会死去，他说因为珊瑚很脆弱，只要采下一小块，很可能一大片珊瑚就会都为之死去。但是即使再三劝诫或警告，仍然还是会有少数游客忍不住动手去触碰那些珊瑚。

每一个人都觉得，只有抚摸或获得那些珊瑚，才会有"我来过，我看到过"的满足感。

彼时我们坐在岸边看日落，他随手在沙滩上写下"I am here."然后我们一起看着这行字被海浪吞没，沙滩重新恢复平坦。

他抬起头来看我："这样不就很好吗？我不需要做任何事证明自己曾经在这里，海知道，就够了。"

读过关于一对夫妻的报道，妻子因为一场事故成为植物人，丈夫不离不弃照料她二十年。包括记者在内的很多人都有些不解。二十年如一日地做同样的事情，辛苦而乏味，没有夫妻生活。更重要的是，对方是完全一无所知的。

记者忍不住问那位两鬓斑白的丈夫："是什么力量支撑你做这件无人知道的事情？"

丈夫却很惊讶："怎么会没人知道？"

"谁？谁知道？"

"我知道啊。"

他指指自己的心口："难道这还不够吗？"

我听过很多句类似的话。

"我要让 ** 知道……" "

我要让他们知道……"

"我要让全世界知道……"

然而却都没有这样一句"海知道"和"我知道"来得令人动容。

经历藏于心底，任何时候拿出回味，依然历久弥新。

反倒那些刻意留下的印记，无非在风雨中变得沧桑斑驳，直至脱落。

做得过分者，还要被后来者唾骂。如同前些日子被媒体大肆报道的埃及神庙被中国男孩刻字一事，之所以全民义愤，也无非是因为都有着类似经历——当自己风尘仆仆，怀着神圣的心态来到那片梦寐以求的风景中时，却只能眼见被"来过者"亵渎的残破不堪，那种刺激与愤慨，人人感同身受而已。

其实那位男孩，大约也只是在当下，急切渴望证明自己曾经出现在古迹面前，用不正确的方式寻找存在感罢了。

正如恋爱中的男女往往奋不顾身，什么事情都做得出。在身体上文下彼此的名字，拍下甜蜜的照片发上网络，无非是希望有陌生人也给出一句赞美或祝福，至少是自己爱过的证明。

结果往往大失所望，除了少数亲友之外，似乎并没有太多人在乎。更要命的是，一旦失去了爱，所有的证明都成为了负担。当初文身痛得要死，除了换来现任男友追问"这是文给谁的"，毫无其他作用。甜蜜的照片与痴缠的文字自然也要束之高阁甚至匆匆焚毁，免得被人追问青春往事，又是一脑门子官司。

某个夏天，在瑞士乘坐黄金列车，邻座是两个女人。很快我的注意力就落到了她们身上，因为一个女人始终握着另一个女人的手，不停地在她手心里画着字。

我留心观察了一会儿，然后惊讶地发现，原来那个被写字的女人不但是聋哑人，还是盲人。

在号称"瑞士最美列车"的贵宾席中，在身边流动如画的绝美风光里，这位无法听见和看见的残疾女士，赫然占了一席。

她从容地坐在那里，任她的朋友在她的掌心迅速地画下一个个字母。

我问她的朋友："为什么陪她出来？"

她说："她希望看到这一切。"

我看着她空洞的眼睛，"可是，她并没有办法看见，甚至听见……"

她的朋友微笑，"她不需要证明，她知道自己来过，这足够了。"

她紧紧握住她朋友的手，仿佛听到了我们的对话。她的眼睛看向窗外，洁白的少女峰在凝视着我们。阳光折射到她的脸上，融出淡淡的光晕。

那一刻，我记住了她的表情，胜过窗外流金般的风景。

若值得被记住，哪怕身后徒有一具无字碑，也会长驻人心。

若只是不重要的记忆，那不如就此别过，倒也风轻云淡，天高海阔，彼此留下的只有短暂却鲜活的美好。

何必向每一个人吃力地证明曾经来过？

照片会风化，字迹会模糊，砖瓦会腐蚀。百年之后，除了风声依旧，即使你与我都早如流沙，散于风里。

期盼他人留念，倒不如在经历风景时，用更多的心思去珍惜铭记。

记得，就是最好的证明。

人人有颗玻璃心

每个人都有不可言说的"死穴"。

你摸不着，他也不会讲。但若中了，便是致命一击。

某天好友聚会，发生了一场意外的争执。

朋友中有个女孩，人很好，就是体重实在过重，172厘米的身高，180斤。这次我们见她却眼前一亮，原来她经过努力瘦身，居然减掉了30斤，虽然还算胖人一族，但已算获得骄人成绩。

我们啧啧赞叹，她也很高兴，不停地对我们说着买了多少新衣服，希望再减掉一些云云。

却有不会讲话的人在旁边小声嘀咕："瘦了30斤也是我们当中最胖的呀！"

偏偏那女孩听到了，两个人随即大吵了起来。

我们都惊呆了，聚会不欢而散。

回程的路上我们都很沮丧，一个朋友说："真没想到，她是性格最温和的人呀。以往我们调侃她工作不好啊，衣服穿得没品位啊，甚至说她男朋友又丑又没钱……她都不会生气的，偶尔还会自嘲！多好一姑娘！今天这是怎么了？这么'玻璃心'！"

另一个朋友给出了解释："大约这是她最在乎的事情吧，其他的否定都是无法更改的事实，并不值得重视。只有这件事情……是她可以修正，并已经为之付出努力的。所以她会这么愤怒。"我们点头，遂表示理解。

她为之"玻璃心"的，不是"胖"这件事，而是自己被攻击和否定的付出。

在某市发生过的一起命案，成为了连续几日的新闻头条。起因是几位老头老太搓麻将，其中一位老头"和"了牌，结果却被另一位老头"截和"。两人因此口角起来。本来也没什么，导致悲剧发生的却是两句话。

"你牌品臭，打得这么烂，难怪没人愿意跟你玩牌！"

"你牌品才臭，人品更臭，难怪离婚！活该！"

被骂的老头当即急了，居然就为此动了刀子，一个追得另一个满院跑，被追的老头被捅了几刀，一头扎倒，没了气息。

惨案发生后，有记者前去采访，杀人的老头一直在喃喃着："谁让他刺激我，谁让他刺激我，我没错，我没错。"

据邻居们说，被杀的老头的确牌品臭，也很少有人乐意跟他玩，他孩子老婆都在外省，一个人孤孤单单，实在熬不过了，就腆着脸去求牌搭子，只要有人愿意陪他一下午，就喜上眉梢。

杀人的老头也的确离过婚，他对他的妻子几乎百依百顺，然而妻子却跟一个男人跑了。他离婚时整个人都傻了，每晚在院子里走圈儿，走了几年才缓过来。平时笑呵呵地跟邻居聊家长里短都没事，可就是不能提这茬儿，一提就急。那被杀的老头图一时痛快，才枉送了性命。

　　两个老头，都被戳中了玻璃心。这心易碎到甚至引发命案，实在令人震撼。

　　可仔细琢磨，又觉得莫名心酸。

　　香港作家倪匡老先生，年逾古稀仍童心不灭，居然跑到微博上来注册了 ID 与年轻人一起玩。老先生博学多才，讲古荐书，言语风趣，引得一众粉丝讨论追随。这本是一桩妙事，却在某天，老先生某条微博违背了"莫谈国是"的宗旨，被官方悄然删除。

　　按理说这也不是什么大事，网友们照聊不误，一切风平浪静。老先生却发了条：哈哈哈哈，不知何故兮博文被删——由他去吧。各位不妨猜着玩，我还会再写吗？

　　自是不会再写了。

　　从此未见老先生再更一言。

　　粉丝们虽然气微博规矩苛刻，可也怨老先生：您好歹也是经过风浪的文坛大家，这一辈子什么人什么事没遇见过，怎就这么玻璃心？就这么抛下我们一干仰慕者不管了？

　　其实，哪怕攻击或谩骂，估计都不能让这位大师略动动眉毛。然而大师年轻时最为自由不羁，也为此付出过不少代价。大约却是这被删除的一条微博，勾起往事，打击到了老先生"往事难灭"的玻璃心而已。

"玻璃心"是盛行的词汇，形容一个人很容易被打倒，承受力过于脆弱，不堪一击。这实在不是什么褒义形容词。更多的人以自诩"金刚心"、"钻石心"为荣，"玻璃心最可笑，本来没多大个事，却过激反应"，嘲讽一切"玻璃心"的存在。

　　殊不知，你以为的"没多大个事"，在他的世界里，也许是最重视，最在乎的事。

　　可能是陈年不能碰最痛的一道疤；可能是心尖上最柔软的一块肉；可能是严防死守的人格底线；可能是不敢言说的梦想目标。然而只需你无意间的一句话，就足以让他的高楼广厦瞬间坍塌。

　　也有不少看起来百毒不侵，油盐不进的"铜豌豆"，在受到攻击后依然处之泰然，因此得到外界赞誉纷纷，"这才玩得起"。可你看不到，不代表他那颗玻璃心已经悄然碎成粉骸。只是出于种种原因，和血吞进肚，掩饰得漂亮，扫干净一地残片，咬着牙对外界额首微笑，道一句没什么大不了。

　　一位作家曾经半开玩笑对我说："你可以质疑我的人品，却不能质疑我的作品。"我笑他夸张，他却认真道："因为那是我付出最多心血的东西，那是我唯一支撑自尊与前途的骄傲。"

　　某位国外漫画家曾画出一幅作品，被许多创作者纷纷转载，称之为心声——在新作出炉之后，一名作者无比忐忑地等待评价。他得到一万句赞美，感到无比开心，然而随之而来的一句贬低却直接将一万句赞美全部销毁，作者陷入纠结与痛苦中。哪怕再多人告诉他"那只是一句贬低而已啊"，也不能安慰阅读那一句攻击谩骂时他所感到所有抑郁、挫败、伤怀，甚至焦灼不可方物的心情。非有过创作经历，无法感同身受。

血肉之躯，难抵心碎一地。

亲人、朋友、爱人，成就、作品、爱好、往事……每个人都有不可言说的"死穴"。你摸不着，他也不会讲。但若中了，便是致命一击。

别再嘲笑那些"玻璃心"，因为在你的胸膛里，一定也跳动着类似的一颗心。有一天若听到"咔嚓"一声，那也许就是破碎的迹象。

不要怕疼，因为我们也曾对别人露出不可思议的鄙夷表情——

"喂，你干吗这么'玻璃心'？"

最好的自己

对不起，今晚我关机

每一个深夜不关机的人，都有一份不敢言明，

也不敢错过的期盼。

只是那些期盼，真的值得你这样的守候吗？

我曾经是个 24 小时不关机的人。

上大学时，不关机是因为爱情。

那时偷偷喜欢过一个人，不敢对他表白，找了机会跟他互换了电话号码，于是开始兴奋地幻想，也许下一秒他就会打电话来。

我想象了很多种接他电话的方式，是矜持？热情？自然地接听？还是跟他像哥们儿一样寒暄？……怎样的开场都好。

于是从不敢关机，早晨起床第一件事就是看手机，生怕错过任何一个可能的交集。

直到我毕业，他从未打过来一个电话。

毕业后参加工作，第一份工作要给所有媒体打电话。

第一个电话是鼓足了勇气才拨出去的，拨通了以后甚至不知道该跟

对方说什么才好，结巴得语无伦次，脸红心跳。

然而放下电话，也就有了拨第二个号码的勇气。长长十几页纸的联络方式，我打了足足两周。

上司谆谆教诲：作为职场菜鸟，任何时候都绝对不能关机。如果媒体有采访联络不到你，你就错失了宣传的机会；如果公司有急事联络不到你，可能直接导致一次危机公关的延迟和失败。一定要敬业！

于是不但不敢关机，睡觉时也把手机放在床头。

正式谈了一场恋爱，男朋友也常常会打电话过来，他尤其喜欢在深夜与哥们儿喝完酒后，醺醺然给我电话。

"你在哪儿？在干什么？陪我聊聊天吧。"

每到这个时候就觉得自己是那个被需要的人，充满了神圣的爱情使命感。

后来我们分手了，原因是他与另外一个女孩在一起了。

我偶然从朋友那里听说他们的故事，是他追的她。那女孩起初根本不接他电话，一看他的号码就按断。于是他愈加觉得新鲜兴奋，拼了命去打动佳人芳心，精诚所至终于金石为开。

我不知道该说什么好，只能祝他们幸福。

工作换了几次，似乎所有的工作都有打不完的电话，也从不敢关机。

某份工作，老板脾气不好，若是接电话慢了就会一顿教训，更别说关机了。有一段时间，凌晨经常被电话铃声叫醒，整个人意识还迷糊着，电话那端就是一顿噼里啪啦交代工作，手下意识地去摸床头的笔和本，还要嗯嗯连声做答，显得自己并没睡觉，足够专业。

有一次实在困糊涂了，接电话时不小心打翻了床头的水杯，淅沥沥湿了被子，只好彻夜换床单被罩，再没睡着。

好不容易熬到升职。沾沾自喜地想，好歹也算个小领导了，应该不会有那么多深夜要办的琐事了吧？

事实证明我的天真。下属们常常在深夜打来电话，讲述工作中遇见的问题和苦恼。曾有个小姑娘一把鼻涕一把泪地对我说她因为失恋而无心工作，我绞尽脑汁费尽口舌劝她要积极向上，不要辜负公司培养……足足耗费掉两块手机电池。等到她心满意足地说领导晚安时，窗外已经露出鱼肚白。索性起床洗漱，直接去机场赶六点的飞机出差。

年龄渐大，就更害怕电话在睡熟后响起，那个瞬间自己心跳会猛然加剧，醒来后久久难以平缓。

有一位朋友由于常年不离电话，甚至出现了幻听。由于经常被电话半夜吵醒加班，他患上了严重的失眠症，每晚不喝酒吃安眠药就难以入睡。每次见他，眼圈乌黑，脸色蜡黄，我们总是担心不知道他哪一天会轰然倒下。

即便如此，我依然不敢关机。

某个晚上我与朋友把酒言欢，几个人聊得有些兴奋，渐渐就忘记了时间。大约在午夜十二点的时候吧，我的电话忽然响起。我看了眼号码，居然是母亲。

我接起电话问什么事，母亲在那边却迟疑着。

"你……睡了吗？要是睡了我就明天再打给你。"

我笑着说没有，跟朋友在外面聊天呢。母亲似乎松了口气。我又问她有什么事，她支吾了一会儿才说出事情原委：原来她腮腺那里生了个瘤子，目前还不知是良性恶性，要住院开刀后才知道。

我吓了一跳，连忙安慰她，又说明早就飞回去陪她做手术。母亲一直很满足地笑，说没事没事，我就是没忍住，想告诉你一声。

撂下电话，我简单说了事情经过，致歉说自己没心思聊天了，要先走了。

朋友们都表示理解，其中一位朋友摇头说："你妈妈真是，出了这么大的事，居然还问你睡了没？还要明天打给你？"

我微怔，这才忽然反应过来。

原来父母真的从未在我休息的时间给我打过电话——除了这一次。

母亲大约是真的慌乱了、无措了，她太想对她的女儿说这一切了，才实在没忍住，在午夜时分打了这个电话。然而接通的一刹那，她又后悔了，万一她的女儿此刻正在休息，那不是扰了女儿的睡眠？所以她才会问我在做什么，有没有在休息，要不要明天再打给我。

在她的眼里，她的重病，甚至比不上我的一晚清梦重要。

我忽然想大哭一场。

那天晚上我连夜买了机票，第二天一早就回到了母亲身边。在病房里陪护时，同事、朋友和客户都纷纷打来电话慰问。我一一谢过，然后告诉他们——从今天开始，我晚上一定会关机。

我说到做到，真的每到睡眠之时，就果断关机。

最初，我以为这样做不利于工作和人际交往，也做好了"有失必有得"的心理准备。然而这样实施几日，却发现并非如此。很多电话即使没接到，第二天一早再回拨过去，并没有想象中的耽搁与误事。甚至到那个时候，事情也许已经消弭于无形。

我们并没有想象中那么伟大重要。即使接了电话，绝大多数在当时也根本无法处理。至于杀人放火的紧急事件——电话通了也已然无法挽回。你只是个普通人，不是可以呼风唤雨起死回生的神明。反而安睡一夜，早上起来神清气爽，更有利于新的一天的开场。

我感到身心愉悦，无比轻松。

读过一句话：每一个深夜不关机的人，都有一份不敢言明，也不敢错过的期盼。

只是那些期盼，真的值得这样的守候吗？

在这个世界上，每天的太阳都照常升起。

再急的事情也会有人去解决，即使不解决其实也没什么大不了。

再烂的摊子也没办法在一夜之间收拾干净。

地球从来没有等谁去拯救。

爱你的人，他只要真的把你放在心上，不会在深夜拨通你的号码。

不爱你的人，在你彻夜难眠、苦苦等待的时候，对方早已酣然入梦。

每个人离了你，都活得很精彩。

父母养你到这么大，珍惜你呵护你，不是为了让你每晚忙乱不堪，心惊肉跳地活着。他们会心疼。

生命如此短暂，享受阳光、空气、美食与睡眠，是多么美好的事情。

珍惜每一个晨曦和夜晚。别让太多身外的烦琐打扰到那份静谧与内心的平静安详。

如果有人对你说：今晚等我电话，我有重要的事对你说。

请微笑着回答他：对不起，今晚我关机。

一个电话，从来就不会比一份生活更重要。

好好爱自己。我的朋友，晚安。

何处生活不苦楚

我们留在这里，从来不是身不由己，

而是选择在这里经历生活。

亲爱的，今晚我接到了你的电话，你在电话里哭得像个小孩。说你不知道该打给谁，所以只好还是打给我。

你说下了班去超市买东西，一大堆油盐酱醋、瓶瓶罐罐买回来，沉得要死。结果出了超市打不到车，只好一步一步抱着东西挪回家。结果就在眼看快到家的时候，塑料袋破了，东西碎了一地，酱油醋溅了一身，最喜欢的这条白裙子算是废了。

你当时蹲在地上就哭了，放声大哭的那种。

你一边哭一边给我打电话，说这个城市你真的待不下去了，你要回家！就算不回家，哪怕去个丽江、杭州那样的城市，也好过在这个庞大又杂乱的北京城里活得这么累。打不到出租、买不起房子、看老板脸色、拿微薄薪水、找不着男友、生不起孩子、得不起重病、放眼望去一片一片的沙尘暴和毒雾霾。你说真不明白苦读这么多年，居然是只为了留在这个生活压力这么大的地方，过这样憋屈的生活，自己的脑袋是不是进了水？

你说你受够了，要回到父母身边。那里有车有房有温暖，下了班可以跟朋友打麻将唱 K 侃大山，聚会吃饭开车三分钟就到。想上班朝九晚五舒舒服服，不想上班开个小店，卖卖咖啡或鲜花。找个生活习惯相似，毫无地域分歧的男朋友，跟他一起去各地旅游，去享受生活，再生个白白胖胖的小宝贝，踏踏实实过日子，多好。

你说着说着就语带憧憬，哭腔也没了。你说我要走，现在，立刻，马上，我要离开这十年的一切，退掉廉租房，卖掉美容卡和健身卡，把辞职信甩到老板脸上，忘记掉曾在这里如此苦楚的生活，迎接美好清闲的下半段人生。

我听着你在电话那端的倾诉，不知不觉竟出神了。

我想起十年前你刚来北京的时候，在电话那端兴奋的语气，我几乎可以看到你眉飞色舞的神态。

你说北京真大，今天你去了天安门和故宫，觉得庄严又威武。你觉得自己终于可以在皇城脚下读书工作，是对之前所有努力的最大肯定。

不过你也有一点不开心，你说去王府井那些商场，发现里面的漂亮衣服一件也买不起。但你很快就忘记了这点不开心，说一定会靠自己的奋斗在这座城市立住脚，总有一天会在商场里闲适地散步，随意地刷卡，买下自己所有喜欢的东西而不必考虑价格。你会在这座城市里找到自己的位置，会有受人尊敬的工作、宽敞的房子和舒适的车子，会找到自己的爱人，会带着这一切衣锦还乡，让父母为你倍感荣光。

我问你，还记得这一切吗？你沉默了下来，然后说，记得。

我又想起你刚刚工作时，踌躇满志。那时你还是个小记者，追在那些成名已久的企业家屁股后面想要问出些独家答案，为了出一篇好稿子几天几夜不睡觉也情愿。

有一次，一个被访者在山间度假村开笔会，你跟去做采访，住在破烂的招待所里，半夜那男人来敲房门，你吓得不知如何是好。

他借着酒意狂撞门，你死死顶住还是被他一脚踹开，门撞到你的嘴角，当即断了半颗牙，汩汩流血。他摔倒在地，你夺路而逃，半夜躲在电话亭里给我打电话求救，一边说一边号啕大哭。那种悲伤，和今晚的你一模一样。

可当我接你回家的时候，在深夜的车上我问你要不要辞职，你捂着流血的嘴，含糊不清却语气坚定地对我说：不要！我好不容易才做到自己这么喜欢的工作，我干吗要因为一个人渣就落荒而逃？

你说，"为了这座城市，我觉得值得。"

你和男朋友是青梅竹马，可自从你上了大学，你们开始了漫长的异地恋。

你们只能靠电话告知彼此的最近情况，你毕业了，找工作了，被领导教训了，又被领导夸奖了，你赚到人生第一笔稿费，你给他买了一条领带做生日礼物，但是今年又要出差，所以不能陪他过情人节了。你抱歉地说亲爱的，虽然我们人不在一起，但是心在一起，距离产生美，我们一定会有幸福的结局。

他在电话那端，说他毕业了，找工作了，被领导教训了，又被领导夸奖了，他拿到人生第一笔工资，然后他给另一个女孩买了情人节的鲜花。他抱歉地说对不起，我们人都不在一起，心要怎么在一起？距离不但可以产生美，也可以产生罅隙。我坚持不下去了，我想要另一个幸福的结局。

你给我打电话，喃喃地说：我为了这座城市，放弃了爱情，值得吗？

你被同事陷害。重要文件的报批被她恶意耽搁，却在上司问起时装做无辜；你写的稿件，被抢先以她的名字发表。你没有证据，只好咬牙和血往肚子里吞。主编在屋子里劈头盖脸骂你，你默默地忍耐完所有的羞辱，任他把文件摔到你的身上，接住。转身出门走到楼梯间，没人了，你蹲在地上浑身哆嗦到不能自控。

可你给我打电话时并没哭，那是我第一次听到你的成熟。你说这是想要在这座城市生存下去的法则，没有人能够幸免，你感谢这样残酷的成长，让你明白职场如战场。

你迅速地反击，暗里搜集那位同事抄袭的证据，足足积累了一年多，在某次会议上突然甩出。举座皆惊，同事脸色灰败，会议结束后黯然辞职。

你对我说，你成功了，扬眉吐气一雪前耻，可也并没有多快乐。你问我，这么做到底值得不值得？

你的新闻稿件获得全国大奖。同事们纷纷上来道贺，主编在接受采访时说，你是他最出色的员工，他为你感到骄傲。

有人开始约你写专栏、出书，银行卡里的数字开始节节高升，你为父母和自己办了最贵的保险，还请他们出国旅游。

他们很快乐。反复不停地对邻居和亲友说，快看，这是我女儿写的书。他们在海边的躺椅上相视而笑，你觉得心里都是满满的幸福。

可妈妈依然眼睛里带着担忧，她说：女儿啊，你的终身大事可怎么办呢？

你说妈妈啊，我现在想去周游世界，今年要把欧洲走遍，明年是非洲，后年是澳洲。你要与考拉合影，与袋鼠握手，在普罗旺斯的熏衣草田中打滚，啃慕尼黑的烤猪肘，大口地喝啤酒。哪怕一个人，也可以继续前行。

我已经不需要回答你的问题，值得还是不值得。因为你已经有了自己的选择。

你终于升职了。

那天正是你的生日。Party上许多朋友都来了。大家围在一起点燃生日蜡烛，唱起生日歌，送上礼物，为你祝福。

你说：谢谢你们，在北京，我哭过、笑过、摔倒过、爬起过、失恋过、孤独过、伤害过别人，也被别人伤害过。你们让我觉得，在北京这些年，没有白过。

亲爱的朋友，当我讲起这些，你在想些什么？为什么不说话了？

是不是也回忆起那些岁月，颠沛流离，伤痕累累，却咬牙坚持，一往无前的每一天。

你终于开始明白，原来生活就是这般样子，它辛苦却也甜蜜，美丽却也哀伤。我们身在其中，无一幸免。

如果，让我们假使另一种如果。

　　在一座安稳的小城，选择另一种生活，一切会不会不同？

　　可以住父母的大房子，宽敞明亮。但如果不依靠父母的积蓄，你依然买不起一间新房。小城市的房价虽然低些，也并没有低到薪水轻松存够首付的程度。

　　你发现小城市原来也会堵车，出租车司机的脸色一样臭，下雪时也要遭遇强行并客。家人买了一辆车，你开得很少，因为物价飞涨，加不起油。

　　你对男朋友从一而终，结婚，生子，然后像所有的妈妈一样开始大讲育儿经，为孩子上幼儿园、小学和中学的择校费发愁。出国旅游？偶尔为之也许可以，但年年出行？还是省省吧。

　　一样要面对领导的挑剔，同事的勾心斗角，有人的地方就有江湖，有江湖的地方纷争永不休止。

　　好吧，辞职回家，开个咖啡厅，花店，也许会好些？当然不会。税务、工商、电力、收保护费的，每天疲于应付……你发现做老板比给别人打工更辛苦。在丽江小店里舒服晒太阳的都是顾客，老板永远在为今天生意冷清付不出房租而头疼。

　　沙尘暴原来并不只北京才有。雾霾侵入每一座城市，也侵入心底。

　　你的确可以每天陪伴亲人，然而父母开始说你看隔壁谁谁的孩子去了美国，做着什么工作，现在多有出息。生活变得规律而平静，一切都稳定得如同老式的钟摆。与此同时失去的是宽阔的平台，广泛的人脉，以及可能变得"不一样"的许多机遇。

　　你已在业内小有名气。上司说，只要再出几本书，他就升你做副主编。

每年有固定的出国机会；报销额度与薪金水涨船高；已经开始有新进的实习生尊敬地唤你一声X总。

已经存够钱打算买下那部心仪已久的车子，哪怕限号路堵，你还是满怀喜悦。

逛商场很随意，虽不是挥金如土，但也坦然自若，喜欢的东西大部分都能凭自己的能力买得起。

不知什么时候，家乡那些伙伴的身影已在脑海中悄然模糊。你的朋友都在这座城市里，他们像我一样，愿意在半夜接听电话，听你流泪，听你欢笑，听你诉说。

想获得的一切，都已经只有一步之遥。却在此刻想转身就走？到另一个城市，把所有的艰苦从头再来一次，然后再哭着说，我要走？

不忘初心，方得始终，我的朋友。

你的确为了这座城市失去了许多；可是在失去的时刻，也得到了许多。

失去爱情，但获得自由；失去平静，但获得精彩；失去单纯，但获得成熟；失去根的稳固，却获得心的归宿。

你青春的汗水流在这座城市的每一个角落；人生最跌宕的回忆与这座城市的影象完全重合；人际关系离了这座城市就不那么灵便；你熟悉这个城市的每一条潜规则；知道如何避过上班高峰期出行；知道哪家饭店好吃又不贵；知道电影院哪天半价；话剧场相熟的黄牛；花店里完全懂你审美的老板娘，不用说明就快手快脚扎好一束你最喜欢的鲜花，给最优惠的价格和最迷人的笑容。

你早已习惯了这里的一切，离不开，割不舍。

我亲爱的朋友，你可以羡慕那些住在小城的友人，想念那些家乡的亲人，你也可以幻想，如果不曾选择这样的生活，会过另外一种怎样的生活。

但你不能做这样的白日梦：安逸、自在、逍遥、毫无痛苦烦恼、逃避责任与义务、如陶渊明一般遗世独立地活着。

因为生活从来不对任何人例外，每个人一生悲哀与快乐的份额完全相同。只要睁开眼新的一天，就必须独自背负起压力与使命——无论在遥远的丽江，还是在忙乱的北京，我们都注定艰难但灿烂地前行。

何处生活不苦楚。

然而，何处生活不幸福？

你若坚持离开，我必然微笑着给你最好的祝福。

莫愁前路无知己，天下谁人不识君。

或者，我等着你再次给我打来电话，大声地笑着告诉我：没事了，下周我们再去吃老北京炸酱面吧。但是千万不要选择周五晚上出行，因为一定堵得一动不动。

可以遗憾，但不要后悔。

我们留在这里，从来不是身不由己。

——而是选择在这里经历生活。

你踮起脚，仍然看不到我的好

"怀才不遇"这件事，有可能是怀的"才"不够，

但也可能"怀才过剩"。

她与他分手了，抱着好友哭得一塌糊涂。

她说："为什么他会有另一个女人？为什么他要跟我分手？全世界都因为我们之间的差距而反对，但我还是死心塌地地爱他，为什么他从来都不珍惜我？"

她出身书香门第，一流大学毕业，男友只读了个职高就出来打工。因为这个男人曾在一场午夜大雨里帮她修好了坏在半路的车，她便对他一见钟情，非君不嫁。

可是如今，这奋不顾身的爱情也成了笑话。

友人安慰她，直到她眼泪停下。然后问她："你跟他平时都有些什么娱乐活动？"

她答："读书，旅游。"

友："你喜欢读什么书？他呢？"

她："我喜欢叔本华、洛克、契诃夫。他很少看书，偶尔翻翻故事会。"

友："旅游呢？"

她："我喜欢去比较有风情的地方，比如柬埔寨，西藏或者冰岛。他就喜欢去海边，什么人文景点都不看，专看美女们的比基尼，或者躺在沙滩上玩电动游戏。"

友："你在什么地方上班？每天做什么工作？"

她："出版社，也自己写书。"

友："他呢？"

她："……目前待业。"

友人说："现在你知道他为什么不珍惜你了吗？"

她沉默，又一次掉下眼泪来。

"他努力踮起脚，仍然无法看清你的好。但是每天都要踮脚，实在是一件很辛苦的事情啊。"

另外一位朋友是某知名大学中文系研究生毕业，成绩出众。毕业以后却出人意表地选择进了一家私立幼儿园做老师。她解释说，自己非常喜欢小孩子，并且在她看来，自己身处校园多年，实在不懂得勾心斗角，倒不如在一个单纯的环境里做喜欢的事情来得轻松。

事实证明她的想法是错的，一个几十人的幼儿园里，人事斗争不亚于《金枝欲孽》。纵然她竭力跟每个同事搞好关系，有些难度的教案也只有她能完成，她依然挨了无数冷枪冷箭，焦头烂额。

她听到过同事在背后酸溜溜地讽刺："不就是文笔好吗？有什么了不起？"

她后来跟朋友们开玩笑说，自己听到这句话的心情，大抵与奥巴马本人听到"他不就是美国总统吗"，或者莫言听到"他不就是拿了诺贝尔文学奖吗"感受类似。

不过，她却不得不承认，在这个小小的工作环境中，即使才高八斗，学富五车，也毫无用武之地。这里比较的是谁与园长的关系更好，谁能拉来更多的孩子入学，谁能在家长中左右逢源，为己所用。

她终究还是辞了职，选择了一家国内知名的出版社，做了图书编辑，由于眼光很准，文学功底也很深厚，拿下一系列畅销书，一路升到总监的位置。

事后她感叹："这个世界不认可你，并不一定是你的错，也许是你的能力并不适合这个世界。没关系，换一个试试，终会找到属于你的那个'等级'。所以千万不要妄自菲薄。"

如今名满歌坛的著名词人方文山，在被吴宗宪发掘之前曾做过防盗器材的推销员，还曾帮别人送过外卖。当时的方文山为了推销歌词，每次都把作品印成几百份，分寄到大小唱片公司和音乐人的手里。然而始终石沉大海。

这可以理解，像"一壶好酒／再来一碗热粥／配上几斤的牛肉／我说店小二／三两银够不够"这样的歌词，的确在当时很难得到歌坛的普遍接受。然而几年后中国风红遍大江南北，却充分证明了方文山当时的想法与才华，已早早超于时代之前。

读《论语》时，有一章印象深刻。

在某个晚春的午后，四位学生侍坐在孔子身边。孔子问他们各自的理想。子路、冉有、公西华分别给出了"治大国"、"治小国"、"修礼仪"等答案，可孔子并不满意。

直到曾皙说出自己的理想，孔子才大加赞扬。

"暮春者，春服既成，冠者五六人，童子六七人，浴乎沂，风乎舞雩，咏而归。"

很多人不解这一章，不知道以"修身、齐家、治国、平天下"为己任的孔子，为何会对如此潇洒率性的人生态度大加赞赏呢？

然而近些年再看《论语》，体会却渐有不同。

想来，为国事家事处处烦扰，哪有与友人春日共浴，踏歌而回，来得尽情肆意。曾皙不过是直抒胸臆而已。

前者是责任，后者则是理想，并不冲突。只是那一刻，曾皙的境界确已高出他人几分。只是无论是子路、冉有、公西华，还是当年的我，都无法理解那种"采菊东篱下，悠然见南山"的心境罢了。

我曾经十分认同"众生平等"一说，然而后来渐渐有不同看法。

一代文艺大师丰子恺在给朋友的信中剖白内心："老实说，我的确看不起世人。古人有'科头箕踞长松下，白眼看他世上人'的，我有时也常以白眼看人，我笑世人都浅薄，大都为名利恭敬虚度一生。能看到人生真谛的，少有其人。"

世人碌碌，为生计所扰，并不算难堪。只是丰师的"看不起"也是由衷之言，他并非以地位收入区分等级，倒与曾皙是一类人，以情操与眼界分高下，以底蕴与胸怀见天地。因此遗世独立，后人难有逾越，高处不胜寒，也是情理之中。

人确是有着不同的层次，只是这层次并非由简单的教育、金钱或出身来粗暴划分。层次完全由后天修炼而成，更多的是一个人的文化、见识、教养、眼界和心胸。

它决定了一个人内心丰富的程度，谈吐的气质，或者最为实际的工作能力。

一篇文案放到老板的面前，他除了认知这是一篇能够使用的文案，并没有发现其中流畅的遣词用句，丰富的旁征博引。

一份设计样稿交给领导，被称赞交稿真快，却无法发现你的绘图水准细腻精准——为此你曾专门自费去美术学院进修。

为公司谈下一单重要的生意，上级表扬你为公司赚到大钱，可并不愿了解那些细节——当对方刁难时，你铿锵有力的回击，不卑不亢的态度，征服对手的从容。

……

往往在得不到肯定的时候，我们会质疑自己。

为什么所有人都不喜欢我？为什么我的东西没人认可？为什么我总觉得与周围的环境格格不入？

"怀才不遇"这件事，当然有可能是怀的"才"不够。

但是也有另一种可能，你的能力已经超越了你所在的环境。

夸张一点的说法，也许可能"怀才过剩"。

并非所在的环境不够好，相信我，一定有许多人在这个环境中如鱼得水，自得其乐。

只是不适合你而已。

如果面临这样的状况，请不要焦急，我的朋友。

高度并不应该成为压力，而要成为优势与动力。

时间和机遇终会送每个人去他们该去的地方，每个人都会寻找到自己想要的一切，天高海阔，各得其所，你定会如愿以偿。

宽容并理解那些曾经不了解我们的人吧，因为我们也终将与他们握手作别。

你踮起脚，仍然看不到我的好。

所以我不怪你，不曾以我为骄傲。

谁的青春不矫情

人嘛，谁没青春过，谁没矫情过？

可要是七老八十还这么折腾，那就是缺心眼了……

青春是很奇妙的时光，经常做出一些傻事而不自知。

上大学的时候，住的广院宿舍颇有一些年头了。宿舍是红砖老楼，楼前是种满银杏的小操场，获得金马奖的电影《蓝宇》就在那里拍摄完成。我有段时间疯狂迷恋关锦鹏的作品，于是每每到秋天，踏着那些枯黄落叶在打完开水回宿舍的路上，脑海中总会幻想他电影中的经典情节与对白，想着想着就投入了，忧伤了，绝望了，鼻子一酸就想要大哭一场。

于是那段时间我们楼下打水的同学大概都会觉得遇见了一个神经病，一个早上起来头发蓬乱穿着睡衣的女生，拎着两个开水瓶子，一边晃悠着前行，一边眼泪哗哗，那画面实在诡异又好笑。

大学刚毕业时，写了一本书。由于是战地题材，比较新颖，出版社宣传力度也还不错，于是受邀去一家电台做某期读书节目的嘉宾。

那也是我第一次作为被访者进入电台直播间，颇感新奇。于是在录节目当晚我特意做了个新发型，化了淡妆——尽管我知道除了主持人根本不会有任何人看见我的脸。

然后我还做了一件更过分的事情，我带了一个会摄影的朋友陪我一起去。在接受采访的间隙，她为我拍照，我拿着自己的书在那个直播间里摆了许多 POSE，面带微笑的，故作沉思的，端庄受访的……后来统统洗出来，给父母邮了一份，自己留了一份。

现在回忆起来，当时那个主持人居然在看到一个如此"作"的受访者的时候，还能从容微笑，礼貌相待，实在是好修养。

不过转念一想，大约像我这样矫情又自恋的年轻人，他也见得多了吧。只因习惯了，也就比较容易包容和谅解。

一位导演讲述他的初恋故事。

"我的初恋女友是我的大学同学，我爱她爱得要死。有一次我们爆发了激烈的争吵，我说要与她分手，她直接跑到天台上，大骂我没良心，白眼狼，说她要让我后悔一辈子！我一下子就慌了，不是因为她可能真的要自杀，而是她回头看我的眼神我觉得让我心疼了，我当时就觉得，完了，我这么爱她，可是我却要失去她了！"

"我当时就冲上去把她抱住了，说我爱你，我错了，你不要离开我，然后我们相拥大哭，她一边哭还一边捶我的胸口，然后我吻她，我们终于和好了。"

他讲完了，然后忽然大笑，"像不像在讲那种白痴爱情剧的桥段？这种剧情估计连最烂的编剧都不愿意拍。可我们当时演给自己看，天哪，觉得太感动了，自己都为自己动容，说是刻骨铭心也不为过。"

别人问他，"那你以后还有过这样的经历吗？"

他用力摇头，"当然没有。我后来娶了别人，老婆现在成天闹我，一吵架就叫着要自杀。我呢，连眉头都不皱一下，跟她说你赶快去死吧……人嘛，也只能趁年轻做一次这么矫情的事，要是七老八十还这么折腾，那就是缺心眼了。"

一位作家，三十五岁之前，出版了十余本诗集。有意思的是，三十五岁以后，她忽然开始创作报告文学，文风大变。

出版社问她为什么转了风格，她说自己也不知道，就觉得三十五岁以后，整个人好像忽然就没办法再写那种风花雪月，无病呻吟的东西，即使读者希望她写，她写出来也觉得完全味道不对了。

"跟我的心理状态完全无法重合。"她解释道，"以前可以做梦，现在却只能帮别人解梦了。"

"其实偶尔我看以前写的那些文字都觉得好笑，整个一个'为赋新词强说愁'。但当时自己并不这么觉得，还常常为了编出一段矫揉造作的复杂语句而沾沾自喜，诸如'你的头发是孤独海岸线生长的一团绿藻'之类……"

她笑起来，"我这个年龄，如果再矫情得死去活来，人家会笑我老黄瓜刷绿漆的。我只能抓紧时间出一些写实的作品，要是再老一点，就只有写回忆录的资格了。"

她并不纠结，因为她自觉已经想得明白。

没有那段空中楼阁的日子，不会懂得作品中"人性"与"地气"的可贵，这是蜕变的必经之路。

前些天，妈妈给我打电话，抱怨妹妹的生活琐事。

上高中的妹妹，长得很漂亮，身材高挑，人人都夸是个模特儿的坯子。妈妈也喜欢打扮她，经常给她买五颜六色的漂亮衣服。

她却不喜欢。我给她零花钱，她存起来，去买自己喜欢的衣服，不是黑色就是白色，款式也很简单，素淡到极点。

妈妈一看就皱眉，总是教训她："这么老气的颜色，是我这个年龄段的人该穿的。年轻很短暂，年老的日子才长着呢，不趁年轻多穿些鲜艳的衣服，到老了会后悔的！"

她一扬头，振振有词："你们才没品位！黑白色多显气质！想想看，我走在街上，一条长长的，纯黑的裙子，风吹过裙角，别人会觉得这女孩子多斯文，多优雅——换了条彩色的裙子可就没有这种效果了！别人只会觉得我是只没内涵的花蝴蝶！"

我听着妈妈的形容，想着她陶醉的样子，忍不住失笑。

行者匆匆，黑色的长裙女生也好，彩色的短裙女生也罢，不过都是擦肩的过客，最多在视线里停留两秒钟就置于脑后了。所谓那些臆想中的回顾与赞叹，绝大多数只是十八岁的美好梦境罢了。

然而没有人打击她的梦境，我们看着她穿上黑色的长裙，然后故作优雅地向我们微微鞠躬致意——她总有一天会长大，会成熟，会变老，会开始对着镜子，拿起彩色的衣服慢慢比量，企图留下一点自己仍然年轻的证明。然而这一切都不重要。

就让她在虚无缥缈的自我陶醉中享受最纯粹的时光，又有什么不好？

"却顾所来径，苍苍横翠微。"所有人都一样矫情地走过青春。抬头叹息白云苍狗，低头感慨落日故人。然后在现实中撞得头破血流，渐渐看清人世波澜，懂得脚踏实地，学会埋头生活。

矫情是惨绿少年们独有的资本，只能在那段日子，做那样可笑又可爱的自己，短暂又珍贵。

在合适的时间做应景的事情，哪怕荒唐，哪怕不堪，哪怕尴尬，也是斑斓风景。

若是过了，还不改变，才会真成了笑柄。

回首时甚至还可以笑着自嘲——那些日子天蓝如水，举半杯啤酒也能当成红酒慢慢品；低头翻阅从来不曾读懂的厚厚大部头；冬日里把手暖在冰冷的窗棂为你融出一朵花。

当时真傻，当时也是最好的年华。

做个泪流满面的文艺青年

轻易被感人的情节而打动流泪；被一句冷笑话逗得哈哈大笑；

为不平之事而动容……

这不是傻，而是证明你还拥有一颗简单的心。

从什么时候开始，"泪流满面"居然成为了一个调侃的词汇。

如果有人在网络上分享一部电影或者一本书籍，说一句：真好，让我泪流满面。几乎可以肯定，百分百会遭到嘲笑："要不要这么矫情，要不要这么夸张？"

更狠的还会跟一句："哟，文艺青年啊。"这简直是在骂人了。被骂者必须反击："你才文艺青年呢！你全家文艺青年！"这才能彰显出自己的确是与群众一条心，"接地气"、"真实"、"不装"。

在很多人看来，肆无忌惮表达悲伤或痛苦，用忧伤漂亮的字句来形容真实的情绪，已经成为一件做作、虚荣和恶俗的事情。反倒是那些看似幽默的冷嘲热讽，甚至直接的叫骂、粗浅的网络用语和段子被称赞为"真性情"。

可是我们真的每时每刻都在那么粗糙地生活着，并毫无感应吗？

登上高山之巅，是否想要直抒胸臆；雨夜撑伞独行，是否会有莫名感伤；当一阵清风拂过，当一朵野花绽放，当爱人或朋友拥抱你、亲吻你，对你说出真诚的话语……是否有无数敏感的、温柔的、文艺的情绪想要抒发，是否想要流下眼泪或者露出微笑，并把这些瞬间分享给周围每一个生命？

为什么要刻意放大某些矫枉过正的情感细节，以偏概全？一棒子打死？

为什么不敢承认，那些以"文艺"之名被刻意羞辱和打压的东西，恰恰是如今这个社会最缺失的一切，是最可贵的存在：善良、感动、坦率、单纯、细腻和优雅。

电影《爱在黎明破晓前》中，一位维也纳的街头诗人曾送了一首诗给 Jesse（杰西）和 Celine（塞琳娜）：

……

Oh, baby with your pretty face（噢，亲爱的，滑过你美丽的脸庞）

Drop a tear in my wineglass（在我的杯中滴入一滴眼泪）

Look at those big eyes（注视你干净的眸子）

See what you mean to me（明了你是我生命的意义）

……

Don't you know me（可知我心）

Don't you know me by now.（终知我心）

后来我曾在奥地利的一个小镇上，听到一位街头诗人也在吟诵这首诗，他忘我的、低沉的、带着磁性的声音在小镇广场上悠悠地回荡，彼时黄昏的夕阳洒在他的身上，几只鸽子在他的身边啄食。偶尔有路人经过他的身旁，都会礼貌地停下脚步，听他吟诵直到完结，微笑地给予轻轻的掌声，有一位老妇人还擦拭起眼角的湿润。诗人也微微颔首示意，带着一种文人式的高傲，然后转身离去。

那个画面我始终记忆犹新。也总会难以抑制地想象，如果同样的场景，换成国人在国内某处施行，除了在现场会被匆匆路过的人投以惊讶的白眼，和听到"在我的杯中滴入一滴眼泪"这样的句子之后引发哄堂大笑以外，大约在论坛上也会有几百个跟贴在嘲讽"装逼"、"神经病"和"文艺青年不要放弃治疗"吧。

美丽的倾诉、内心的感怀、修饰的表达，从来都不是无病呻吟。

而这个社会，却是生了一场叫"拒绝宽容"的病。

有次，和一位朋友看电影，我想选一部爱情片，她却说："选武打片吧！"

我问她为什么，她有点不好意思，说："我太容易被电影里的内容感染，到时候哭得一塌糊涂，怕被你笑话。"

我很惊讶："为什么要笑话？善感难道不是女孩子最好的美德之一吗？"

能够轻易被感人的情节而打动流泪；被一句冷笑话逗得哈哈大笑；为不平之事而动容；明知道是虚构的情节，仍然可以感同身受，并报以最真诚的回应，这不是傻，而是证明你还未被纷繁世情所污染，还拥有一颗可贵的、简单的心，你的血还是热的，你的感情还是纯粹的。

这为什么不值得骄傲呢？

倚窗读书，秉烛聆雨，伤春悲秋，泪流满面。

以上画面，无论哪朝哪代，都是文士所为，风雅之行。然而时至今日，这样的行为除了被形容成"酸"、"做作"以外，还要得到一顶"附庸风雅"的大帽子。

可是，即使是附庸风雅又有什么不好？

比起"屌丝"、"白富美"、"高富帅"这样的粗鄙表达，宁可再多一些附庸风雅的交流。即使是东施效颦，也能证明内心最起码有着对贫乏的摒弃，对品质的追求。

我们之所以觉得不快乐，正因为这种"文艺"在这个笑贫不笑娼、荤段子与酒桌文化盛行的时代，实在太少太少。少到成了异类，少到耻于提及，少到避如蛇蝎，少到人人喊打。少到我们强迫自己埋头生活，不能做梦，不能诗意，不能浪漫，向现实的群体意识屈膝投降。

我们到底怎么了？

哪怕再多一点这种场景——

少女在河边草地独坐，安静地翻阅着一本诗集；白发苍苍的流浪歌手，在无人的桥头唱到流泪；西装革履的男人，蹲下身喂一只脏兮兮的流浪猫；坐在街口咖啡厅的少年，唇角带着温柔的笑意，思索着，一笔一笔写下那些永远不能发表的，却承载着无数心事的文字。

这样的世界，难道不是更温暖一些吗？

如果心中尚有憧憬，何不听从心声而活。你有黛玉葬花的权利，也有多愁善感的自由。大可喊出真实的想法：我要做一个泪流满面的文艺青年！那又有什么不好？文艺，从来都不应该是错误和羞耻。而是一种传统的、美妙的，可引以为豪的巨大荣耀。

一切都是最好的安排

所有的欺骗、侮辱和伤害，只是这个世界温柔补偿的序曲。
那些星星点点的微芒，终会成为燃烧生命的熊熊之光。

这是普普通通的一天。

早上起来，她发现家里停电了。于是没办法用热水洗漱，用电吹风吹头发，不能热牛奶，烤面包，只好草草打理一下就出门。

刚走进电梯，邻居家养的小狗一下子冲进来扑住，上周刚买的米白长裙上顿时出现两只黑黑的爪印儿。

开车被警察拦，才想起来今天限行，罚了一百。

到了公司，正好晚了一分钟，又罚五十。

冲进会议室开例会，老板正在宣布工作调整的名单。她的业务居然被无故暂停，她的职位则被一个不学无术的家伙所取代。

午餐时间，所有人都闹着要新任主管请客，一窝蜂笑闹着出了门，没有人叫她。

她一个人去了餐厅，刚把一口饭送进嘴里，重要客户打来电话。

对方取消了金额最大的一笔订单，年底的奖金泡汤了。

她看着面前的午餐，再无半分胃口。

刚回公司，电话响起，妈妈在电话那端哽咽，说姥姥的病又重了，可能熬不过这个月了。

她安慰着妈妈，丝毫不敢提及自己的工作变动，只说一定尽快回去看姥姥。

放下电话，短信声响起。

居然是暗恋了十年的对象发来的消息：HI，我要结婚了。

黄昏，她站在回家的路边等着打车，可每位司机听到要去的地点都拒载。无奈，她踩着高跟鞋，拎着沉重的电脑包，向家的方向走去。

脚很快磨出了血泡，实在走不动了，太痛了，她蹲下来缓缓地揉着伤口。

夜色笼罩，头顶的月亮冷冷地俯瞰着她，仿佛无声的提醒，家里还是一片黑暗。

她的眼泪在一瞬间夺眶而出。

……

看起来，我们的生活充满了悲伤。

拼尽全力的会急转直下，刻骨铭心的会草草结局，飞蛾扑火的会灰飞烟灭。

于是我们失望、沮丧、困惑、挣扎，甚至绝望，对这一切产生深深的不信任感与抗拒感。终于觉得筋疲力尽，无路可走。可是真的走不下去了吗？

……

她站起来，擦干眼泪，摇晃着继续往前走。

直到下一个路口，有一辆车终于停下来。报了地址，司机和气地说这么巧，我们住同一个小区，看小姑娘你走得辛苦，正好收工，免费送你回家。

她连声道着谢上了车，电话响起。

客户在另一端说，虽然订单取消，可是她的敬业态度让他觉得感动。不知她是否对新的岗位感兴趣？如果愿意跳到自己的公司，薪水涨一倍，职务也提升。他说，其实我等你辞职已经等了好久。

她惊喜地说着谢谢，心情豁然开朗起来。

于是顺手给暗恋对象回了个短信，说祝你幸福。

手机屏幕闪亮，是他发来的回复：今天我跟阿姨通了电话，我们这周末一起回家看姥姥吧。

她惊疑地回：为什么你要陪我回家看姥姥？

他发来一个笑脸：如果不是想让姥姥开心，我不会把求婚提前这么久的。

她不敢置信地望着那一行话，张大了嘴巴，手足无措。

他像知道她的心事，又发：我都知道，我喜欢你。

她眼圈一下子又红了，心里却轰轰炸开几朵烟花。

一路抿着嘴笑。回家，拿出钥匙，邻居家的门却先开了。

邻居笑眯眯地说：今天我遛狗回来，发现你家的电闸坏了，就叫我老公帮你修好了。

在她的身后，那只小狗探出头来，汪汪两声，欢快地摇着尾巴。

她推开家门——

一室融融，满眼暖意。

所有的故事都会有一个答案。所有的答案却未必都如最初所愿。

重要的是，在最终答案到来之前，你是否耐得住性子，守得稳初心，等得到转角的光明。

随时、随性、随缘。随喜，随遇而安。

山有峰顶，海有彼岸。漫漫长途，终有回转。余味苦涩，终有回甘。

在恐惧中安抚自己不安的心，在失落中收拾自己破碎的情绪，也许下一个瞬间，坠入的无边深渊，会忽然在黑暗中闪烁起点点星火。

失去了铁斧，神明会送上金斧银斧。

吃下毒苹果，是为了王子的亲吻。

所有的丢失，都是为了珍爱之物的来临腾出位置；所有的匍匐，都是高高跃起前的热身；所有的支离破碎，都是为了来之不易的圆满。

上天不会无缘无故做出莫名其妙的决定。

它让你放弃和等待，是为了给你最好的。

所有的欺骗、侮辱和伤害，只是这个世界温柔补偿的序曲。

那些星星点点的微芒，终会成为燃烧生命的熊熊之光。

一切都是最好的安排。